Adaptive Leadership

3

시스템의 온도

시스템을 움직이라

로널드 A.하이페츠 • 알렉산더 그래쇼 • 마티 린스키 지음

ginger T project
진저티프로젝트

일러두기

— "한눈에 보는 어댑티브 리더십"은 책의 이해를 돕기 위해 출판팀이 자료를 재가공했다.
— 외국어표기는 국립국어원의 외래어표기법과 용례에 따라 표기했으며 최초 1회 병기를 원칙으로 했다. 단 독자의 이해에 필요한 경우 재병기하였으며, '어댑티브 리더십'과 '어댑티브 챌린지'의 표기는 본연의 의미를 살리고자 원어 그대로 표기했다.
— 전집, 총서, 단행본, 잡지 등은《 》로 표기했다.

추천의 글

우리 집에는 오래된 보일러가 있다. 난방이나 온수를 틀었을 때 아무리 보일러실의 문을 꼭 닫아놓아도 웅장한 소리를 내며 자신의 존재감을 과시하는 보일러에게는 한 가지 약점이 있다. 제때에 밸브를 열어 물을 흘려보내지 않으면 시름시름 앓다가 급기야 꺼져버리는 것. 보일러가 작동하는 소리를 잘 듣고 있다가 소리가 차츰 멀어지듯 보일러가 기력이 점점 쇠하는(?) 것처럼 느껴지면 밸브를 열어 보일러의 몸 안에 들어있던 물을 빼내주어야 한다. 그러면 금세 바닥은 보일러가 흘린 눈물 자국으로 얼룩지고, 보일러는 언제 그랬냐는 듯 다시 가열차게 힘을 발휘하기 시작한다.

만일, 보일러가 보내는 신호를 제대로 읽지 못해 우리 가족이 적시에 대처하지 못한다면, 보일러 시스템이 불안정 상태가 되어 샤워를 하다가 찬물 세례를 받거나 한겨울에 오들오들 떨며 추운 밤을 지새워야 할지도 모른다.

조직이라는 시스템도 이와 비슷하다고 생각한다. 조직 곳곳에서 발생하는 크고 작은 신호를 구성원들이 알아차리지 못하고 필요한 대응을 하지 못한다면 조직 안에서 조금씩 왜곡이 발생하기 시작한다. 시스템의 왜곡은 '시스템이 본래의 목적대로 작동하지 않고 불필요한 손실을 발생시키는 것'을 의미한다. 조직 안에서의 왜곡이 무서운 이유는 '고장이 났다'는 그 자체보다, 고장이 난 이유를 사람마다 각기 다르게 진단하고 개선의 방향을 잘못 설정하여 또 다른 왜곡을 낳게 되기 때문이다. 여기에다가 누군가 책임을 지는 것이 두려워 문제를 투명하게 논의하지 않고, 문제 해결을 위한 건강한 토론과 생산적 충돌이 이어지지 않아서 이후에 더 복잡한 상황이 연출되기도 한다. 쉽고 고통이 따르지 않는 방식으로 현실을 감당해내려 하다가 결국, 더 어렵고 고통스러운 상황을 맞게 되는 것이다.

3부 '시스템의 온도'는 현재 많은 조직들이 겪고 있는 이러한 문제 상황을 어떻게 다루고 어디에서부터 논의해야 하는지를 이야기한다. 조직이 당면한 문제를 사람들은 어떻게 인식하는지, 관점 전환과 올바른 해석을 위해 어떤 질문이 필요한지, 사람들의 변화를 위해 어떻게 개입해야 하는지, 그리고 진정한 조화를 이루기 위해 갈등은 어떻게 조율해야 하는지 등, 조직이라는 복잡한 시스템의 문제 해결을 위한 귀한 실마리와 영감을 제공한다.

책에서는 특히 갈등을 '조율한다orchestrate'는 표현을 사용했다. 작곡가는 화음을 만들 때 협화음뿐만 아니라 불협화음까지 모두 사용해 아주 극적인 음악을 만들어낸다고 한다. 불협화음으로 긴장감이 고조되었을 때 협화음으로 긴장을 해소해주면서 곡의 기-승-전-결을 만들고 전체적으로 완성도가 높은 곡이 탄생한다. 이처럼, 성숙한 조직은 성과를 잘 만드는 조직이 아니라 '갈등을 잘 다루는 조직'이 아닐까 싶다. 갈등을 잘 다루기 위해서는 원칙이 있어야 하고, 추구하는 가치가 명확해야 하며, 이슈를 대하는 데는 철저하지만 구성원 개개인에 대해서는 깊은 배려를 해주면서 엄격하고 지지적인 자세를 동시에 갖추어야 하기 때문이다.

지금 당신이 속해 있는 조직은 어떤 신호를 보내고 있는가? 당신은 그 신호가 어떤 의미인지 잘 알아차릴 수 있는 예민함을 갖추고 있는가? 이 책을 읽는 모두에게 보일러가 보내는 신호를 알아차릴 수 있는 예민함과 문제해결 능력이 선물처럼 찾아오길 기원한다.

최지훈 / 메드트로닉Medtronic 조직개발 스페셜리스트,
《딜레마의 편지》, 《조직문화 재구성, 개인주의 공동체를 꿈꾸다》 저자

목차

한눈에 보는 어댑티브 리더십

어댑티브 리더십의 여정을 위해 생각해 볼 4가지

1. 변화를 이끄는 여정을 혼자 시작하지 말라
2. 인생을 리더십 실험실처럼 살아라
3. 성급하게 행동하지 말라
4. 어려운 선택을 통해 새로운 즐거움을 발견하라

	진단하기	행동하기
조직 system	**방 안의 코끼리** 시스템을 진단하라 · 조직의 구조와 문화, 관행을 진단하라 · 기술적 문제와 어댑티브 챌린지를 구별하라 · 조직의 정치적 관계를 진단하라	**시스템의 온도** 시스템을 움직이라 · 문제를 다양하게 해석하라 · 변화를 이끌어낼 효과적인 실행안을 디자인하라 · 정치적 관계를 고려하여 행동하라 · 갈등을 조율하라
자신 self	**내면의 현** 나를 들여다보라 · 자신의 충성심을 인식하라 · 자신의 내면의 현이 어떤 자극에 반응하는지 이해하라 · 대역폭-역량과 인내심-을 확장하라 · 자신의 역할과 권한범위를 이해하라 · 목적을 분명히 하라	**나만의 실험실** 나를 실험하라 · 목적이 살아있도록 하라 · 자신의 실패를 허용하라 · 사람들과 함께하라 · 실험적 사고방식을 가져라 · 자신을 안아주는 환경을 만들어라

3

시스템을 움직이라

Mobilize the System

어댑티브 리더십을 발휘한다는 것은, 때론 환영받지 못하더라도 시스템에 개입한다는 것을 의미한다. 다시 말해, 당신이 속한 시스템(조직, 팀, 공동체, 사회 혹은 가족) 속의 사람들에게 적절히 개입하여 그들이 해결해야 하는 중요한 문제가 무엇인지 인식하도록 만드는 것이다. 다음의 상황들을 살펴보자.

- 학교에 새롭고 혁신적인 기술을 도입하기 위한 시도가 있었지만, 학교의 관리자들이 그 기술 자체를 이해하지 못했을 뿐만 아니라 가치 있게 생각하지도 않았다. 이런 관리자들에게 실망해 학교 자문 위원회는 단체로 사임하기로 했다.
- 회사 내에서 인사팀에 대한 기대가 컸지만 충분히 부응하지 못했다. 대표는 인사팀이 행정적인 역할을 넘어 타 부서와 함께 회사를 전략적으로 이끌어가 주길 기대했으나 결국 기대에 미치지 못했다. 그러자 대표는 성과가 좋은 영업팀 임원을 인사팀 최고 책임자로 임명하면서 인사팀 조직 문화에 도전하고 있다.
- 크리스마스 저녁 식사에서 손자가 예민한 문제를 꺼내 모두를 불편하게 만들었다. 할머니의 건망증 때문에 가족 모두가 힘든 것이 아니냐는 이야기를 솔직하게 말해버린 것이다. 예

민한 문제는 거론하지 않는다는 가족의 암묵적인 합의가 깨져버렸다.

변화 적응적 상황을 진단하고 조직 구성원이 행동하게 하기 위해서는 질문을 던지고 다양한 프로세스와 구조에 대해 생각해 보며 새로운 시도를 할 필요가 있다. 그뿐만 아니라 다양한 시점에, 다양한 사람 및 그룹과 함께 협업하고 실험하는 전략적인 노력이 필요하다. 이번 장에서는 '진단 이후, 어떻게 행동할 것인가'에 중점을 둔다. 변화 적응적 문제를 해결하기 위한 준비부터 실행 단계까지 살펴볼 것이다. 당신이 어떤 형태로 개입하게 될지 모르지만, 성공적인 개입은 다음과 같은 특징들을 지닌다.

- 어댑티브 챌린지를 해결하기 위해 성급한 시도를 하기보다는 장기적 해결책에 집중한다.
- 도전 과제를 구조화하고, 그 문제와 현실에 대한 해석을 제공한다. 이는 몇몇 구성원들을 불편하게 만들 수 있다.
- 긍정적인 변화를 만들기 위해 불편함을 감수한다. 기존 질서가 주는 안정감을 유지하고 싶어서 불편함을 회피하는 결정을 하지 않는다.
- 기존에 활용하지 않았던 조직의 네트워크를 활용한다.

- 조직 내부의 변화 역량을 강화하여, 앞으로도 지속해서 발생할 어댑티브 챌린지를 잘 감당할 수 있게 한다.

효과적 행동을 위한 첫 번째 단계는 '행동하지 않는 것'이다. 어댑티브 챌린지에 직면할 때 흔히 느끼는 충동은 성급히 행동하려는 것이다. 이러한 성급함을 잘 참아내고 행동하지 않을 수 있는 능력이 필요하다. 당신은 혹시 해결 중독자는 아닌가? 문제를 발견할 때마다 그 문제를 깨끗이 처리하겠다는 굳은 결심으로 문제에 뛰어드는 사람은 아닌가? 다른 사람들의 문제를 기꺼이 떠맡아 처리하기 때문에 조직에서 보상을 받거나 사람들의 칭찬을 받고 있지는 않은가?

조직을 위해 할 수 있는 가장 강력한 행동은 문제를 해결할 수 있는 시간을 충분히 확보하는 것이다. 과거에 효과가 있었던 기술적 해결책을 성급하게 적용하는 것은 적절한 행동이 아니다. '당신이 망치밖에 갖고 있지 않다면 모든 것이 못으로 보인다'는 속담을 기억하라. 기술적 문제가 아닌 어댑티브 챌린지를 해결할 때는 당신의 망치가 도움이 되지 않는다. 번거롭더라도 다양한 연장을 준비하고, 급하게 돌아가는 일의 속도를 늦추고, 일을 실행하기 전에 모든 구성원의 입장을 생각해 봐야 한다.

'행동하지 않는 것'은 모든 것이 급하게 돌아가고 빠른 해결을 원하는 요즘 같은 때에는 무척 어려운 일이다. 하지만 이것은 필수적이다. 만약, 당신이 조직에서 어느 정도 권한을 가진 위치에 있다면, 행동을 멈추는 시도가 좀 더 쉬울 것이다. 단, 그렇게 하기 위해서는 상황이 매우 급박할 때 자신이 성급하게 행동하는 경향이 있다는 점을 인식해야만 한다. 조직에서 권한이 크지 않다면, 시간을 확보할 수 있는 획기적인 방법을 생각해야 할 수도 있다. 그래야만 조직의 문제를 제대로 진단하고 다양한 사람을 문제 해결에 참여시킬 수 있다. 이 과정은 절대 쉽지 않고 저항이 상당하다. 어떤 사람은 당신이 문제 해결을 방해하고, 상황을 너무 부정적으로 바라본다고 비난할 수도 있다.

조직 내에서 갈등을 높이지 않으면서도 조직의 속도를 늦추는 방법을 생각해봐야 한다. 당신이 시도해볼 만한 아이디어를 몇 가지 소개한다.

- 문제를 직접 제기하기보다는 질문을 더 많이 하라.
- 만약 당신의 지지가 성공적인 실행을 위해 반드시 필요하다면, 그 결정의 지지를 유보하면서 부드럽게 거부권을 행사하라.
- 회의 시간을 충분히 확보해 보자. 문제의 해결책을 탐색할 때, 조언을 줄 수 있는 사람을 더 폭넓게 고려하라.

- 숨겨진 갈등을 표면화시키지 않는 방법으로 사실fact관계에 대해 질문하고 논의하는 것도 고려할 수 있다. 논쟁이 되는 주제와 관련된 사실을 가려내고, 관점과 가치의 차이에서 발생하는 진짜 갈등에 집중하라.

너무 성급하게 행동으로 뛰어들지 않았다면 매우 잘한 것이다. 이제 거기서 한발 더 나아가 변화를 해결하기 위한 개입을 디자인하고 실행해보자.

3.1

해석하라

Make Interpretations

효과적인 비전은 단지 상상이나 호소가 아닌 정확성을 가진다. 사람들에게 필요한 것은 조직이 직면한 복잡한 현실을 깊이 있고 정확하게 해석하는 것이다. 산만하고 복잡한 논의 속에 숨겨진 핵심 문제를 예리하게 해석하는 것은 사람들이 올바른 방향으로 해결해야 할 문제에 초점을 맞출 수 있도록 돕는다. 사람들이 당신의 해석에 완전히 동의하지 않을지라도, 특정 해석에 대해 구성원들이 함께 논의하고 검토하고 수정한다는 것 자체가 매우 의미 있는 일이다. 그러나 해석을 제대로 하기 위해서는 조직과 관련한 핵심적인 상황을 파악해야 한다. 상상하고 소망하는 것은 새로운 아이디어와 가능성을 찾아갈 때 도움이 된다. 하지만 어댑티브 챌린지를 해결해간다는 것은 현실을 정확하게 인식하고 그 현실을 기반으로 새로운 가능성을 만들어 나가는 것이다.

사람들은 자신이 변화해야 할 때, 그들이 직면한 문제 상황을 관행적으로 해석하고 변화는 회피해버리곤 한다. 조직에 속해 있는 사람들은 자신에게 책임이 돌아오지 않는 해석을 선호하는 경향이 있다. 예를 들어, 중간관리자들은 서로 다른 분야, 국가, 문화권에 속해 있어도 '시장 점유율이 떨어지는 건 고위 경영진이 혁신적인 시도를 좋아하지 않기 때문'이라고 주장할 확률이 높다. 이 해석은 부분적으로는 맞을 수 있지만, 중간관리자의 용기나 창의성, 전략이 부족했을 가능성은 전혀 설명하지 못한다.

변화의 필요성이 제기될 때 사람들이 보이는 또 다른 반응은 무엇일까? 사람들은 적은 비용으로도 문제를 해결할 수 있다는 주장을 수용하고 싶어 한다. 이러한 현상은 선거철에 두드러진다. 대개 선거에 당선되는 사람들은 당면한 문제를 해결하는 비용이 많이 들지 않는다고 주장한다.

〈그림3-1〉은 어댑티브 챌린지를 제대로 해결하기 위해서 조직 구성원들이 어떤 해석의 과정을 경험해야 하는지 보여준다. 사람들의 해석이 왼쪽으로 치우쳐 있을 때(다시 말해, 직면한 문제를 기술적이고 안정적으로 해결할 수 있으며, 개인적인 문제라고 이해하는 것), 이를 벗어나도록 하는 것이 당신이 첫 번째로 할 일이다. 즉, 그들을 오른쪽의 해석으로 이끌고 가야 한다(문제를 변화 적응적이고 갈등이 내포되어 있으며, 시스템적으로 이해하는 것).

해석의 전환

기술적 → 변화 적응적

안정적 → 갈등적

개인적 → 시스템적

〈그림3-1〉 해석을 위한 마인드 셋

어댑티브 리더십이 작동하기 위한 첫 번째 과제는 구성원의 생각을 변화시키는 것이다. 상사, 부하직원, 동료, 타 부서 직원들과 같은 주변 사람들에게 어댑티브 챌린지가 기술적 문제와는 완전히 다르다는 것을 인식시켜야 한다. 당신은 두 가지 형태의 문제를 다르게 인식하고 다루어야 한다. 기술적 문제는 전문 지식으로 해결할 수 있지만, 어댑티브 챌린지를 해결하기 위해서는 리더십이 필요하다. 조직 구성원들은 전문 지식을 이용해 해결되는 문제들도 많지만, 전문 지식만으로 해결하지 못하는 문제가 존재한다는 것을 인정하고 받아들여야 한다.

구성원들이 폭넓게 참여하고 실험하며 시도하고, 고통스럽더라도 변화에 적응하게 될 때, 리더십을 효과적으로 발휘할 수 있다. 구성원들이 기술적 문제와 어댑티브 챌린지가 어떻게 다른지 이해하게 되면, 당신의 리더십은 훨씬 효과적일 수 있다. 기술적 문제를 해결할 때는 적절한 권위를 행사하면서 지시를 한다 해도 다른 사람들이 당신을 너무 강압적이거나 독단적이라고 비난하지 않을 것이다. 또한 변화 적응적 문제를 다룰 때는 당신이 폭넓게 시도하고 실험하면서 질문을 던지고 즉흥적으로 대응한다 해도, 방향성을 잃었다거나 뒷받침하는 논리가 부족하다는 비난을 받지 않을 것이다.

사람들은 자신이 직면한 문제가 변화 적응적 성격이 있음을 인식하게 되면, 새로운 방식으로 학습해야 한다는 것을 인정하고, 앞으로 나아가기 위해 손실을 감수해야 한다고 이해하게 될 것이다(예를 들어, 역사가 오래된 상품의 생산을 포기하거나, 투입 비용이 커지면서 그동안 중요하게 여겨온 자율성 일부를 포기하는 일 같은 것 말이다). 또한 갈등을 회피하는 태도에서 갈등을 인정하고 해결하는 태도로 변화하게 된다.

당신이 조직에서 직면하고 있는 문제 중 갈등적 요소를 밖으로 드러내 상황을 해석하면, 사람들은 현재 상황에서 조정이 가능한 손실과 그렇지 못한 손실을 구분해 이해할 수 있다. 그렇게 되면 사람들은 갈등을 해결하기 위한 논의 자리에 용기내어 참여하고, 갈등을 건강하게 관리할 수 있는 환경을 만들 수 있다. 그렇게 새로운 적응 과정이 시작된다.

만약 사람들이 당면한 문제를 개인적인 차원이 아닌 시스템적인 차원으로 볼 수 있게 되면, 시스템의 어떤 부분을 건드려야 효과적으로 변화를 일으킬 수 있는지 찾아보려 할 것이다(예를 들어, 성과가 저조한 직원을 보호하는 전통이나 중앙 통제적인 경영 방식). 시스템적으로 해석할 수 있으면, 사람들은 정치적 관계를 고려해 사고하고, 문제와 관련된 이해관계자들을 그려보며, 생각지 못했던 동맹 관계를 찾아낼 수 있다. 그리고 각각의 이해관계자들은 어떤 손실을 감수해야 하는지도 추측할 수 있다.

사람들의 해석이 오른쪽으로 이동하는 일(〈그림3-1〉 참고)은 여러 상황에서 일어난다. 공식적인 대화나 비공식적인 대화를 나누는 가운데에서 일어나기도 하고, 혹은 기존의 관행적인 해석을 언급하다가 일어나기도 한다. 하지만 사람들이 개인적인 차원이나 인간관계 차원으로 해석하던 것을 시스템적이고 정치적인 차원의 해석으로 전환하기 위해서는 이런 사고를 지속적으로 강화하는 노력이 필요하다. 당신이 사람들과 대화하는 중에, 오른쪽 영역으로 해석을 전환하기 위해서는, 다음과 같은 질문을 던져볼 수 있다.

- 이 상황은 우리에게 새로운 상황입니까? 그렇다면 어떤 면에서 그렇습니까? 이 상황에 대처하려면 우리에게 기존과는 다른 새로운 전략이 필요합니까?
- 이 상황에서 주요 이해관계자들은 누구이며, 그들이 받게 될 긍정적 영향과 부정적 영향은 무엇입니까? 그들은 이 상황을 어떻게 해석하고 있으며, 어떠한 이해관계가 걸려 있습니까?
- 우리 조직에서는 이 문제를 얼마나 긴급한 문제로 인식하고 있습니까? 이 문제의 인식을 더 무르익게 하는 방법을 찾아야 할까요?

- 이 상황이 가지고 있는 변화 적응적 요소는 무엇입니까? 또한 기술적 요소는 무엇입니까?
- 조직 내에서 혹은 업계 내에서 우리만 이런 상황에 처해 있습니까? 다른 이들의 반응은 어떠합니까?

다음의 가이드라인은 당신이 조직에서 해석의 과정을 이끌어가는 데 도움이 될 것이다.

사람들이 언제 왼쪽으로 이동하는지 주목하라

사람들은 변화 적응적인 해석보다는 기술적인 해석을, 갈등적인 해석보다는 안정적인 해석을, 시스템적인 해석보다는 개인적인 해석을 하는 경향이 있다. 당신은 구성원들이 언제 이러한 경향을 보이는지 인식하고, 이러한 행동을 짚어주는 것부터 시작해야 한다. 생산적이지 않은 해석이 일어나고 있는지 알아보기 위해서는 사람들이 그 상황에 대해 어떤 대화를 나누는지 살펴보면 된다. 〈표3-1〉은 사람들의 해석이 왼쪽으로 기울려고 할 때, 그들에게 자극을 줄 수 있는 질문이다.

사람들이 하는 말의 유형	사람들이 문제를 인식하는 방식	해석의 전환을 유도할 수 있는 질문들
대표가 더 나은 방향을 제시했더라면 ….	조직의 비전, 미션, 전략의 문제가 아니라 의사결정권자의 무능력으로 인식	대표는 어떤 압박을 받고 있습니까? 그의 지지자는 누구입니까? 지지자들이 그에게 기대하는 것은 무엇입니까?
우린 당장 이것을 끝낼 수 있어.	장기적 문제가 아닌 단기적 문제로 인식	우리에게 문제의 현상을 넘어, 문제의 원인을 살펴보고 해결하려는 의지가 있다고 생각하십니까?
쉽게 고칠 수 있는 문제야.	변화적 문제가 아닌 기술적 문제로 진단	이런 문제는 컨설턴트가 해결할 수 없는 문제이지 않을까요?
우린 이런 좋은 아이디어를 실현할 수없을 거야.	비즈니스 모델의 문제가 아니라 실행력의 문제로 인식	우리는 우리 제품을 너무나 좋아하지만, 시장은 우리 제품을 원하지 않을 수도 있지 않을까요?
이건 모두에게 다 좋은 일win-win이 될 거예요.	문제 해결에 있어 아무도 손해를 보지 않아도 된다고 생각	이 시도를 반대하는 사람들이 생각하는 그들의 손실은 무엇일까요?

〈표3-1〉 해석을 위한 마인드 셋

사람들은 쉽고, 고통이 따르지 않는 해결책을 제시하는 관점으로 현실을 해석하고 싶어 한다. 그뿐만 아니라 조직이 해야 할 일과 하지 않아야 할 일(예를 들어, 회사의 규칙이나 채용 기준)을 판단하는 정보를 일차적으로 주변 환경에서 찾으려는 경향이 있다. 사람들은 자신을 둘러싼 환경 안에서 일어나는 것에 많은 에너지와 시간을 쏟고 있기 때문이다. 물론, 이처럼 자신에게 보이는 현상과 정보를 토대로 상황을 파악하려는 태도는 자연스럽다. 하지만 이러한 경향성은 사람들을 표의 왼쪽의 해석에 머무르게 한다. 즉, 문제를 변화 적응적이나 시스템적으로 해석하기보다는 기술적이고 개인적인 것으로 해석하게 한다. 우리는 한 회사를 컨설팅한 적이 있었는데 이 회사의 경영진은 설립자가 아버지와 같은 역할을 해주기를 기대했고 설립자도 그런 역할을 유지하고 싶어 했다. 하지만 시간이 흘러 경영진은 간섭을 덜 하는 리더를 원하게 되었다. 경영진은 설립자가 '참견'하는 것에 너무 큰 스트레스를 받아서, 자신들도 설립자에게 도움을 받았을 뿐 아니라 설립자의 성향을 강화하는 데 이바지했다는 사실을 깨닫지 못했다.

이런 경향성을 약화하는 방법의 하나는 조직 외부의 사례를 가지고 대화하는 것이다. 예를 들어 앞서 소개한 회사의 경우, 직원을 아이처럼 취급하는 다른 회사의 경영자 이야기를 하면서 자신의 조직을 돌아볼 수 있다. 혹은, 평소 접하기 어려웠던 관점과 관심사를 탐구해보는 것도 좋다. 그리고 경영진 회의를 촬영해서 발코니 관점으로 그 안의 정치적 관계를 들여다보는 것도 도움이 된다.

조직의 관행적 해석을 재구성하라

모든 조직에는 현실을 인식하고 반응하는 그들만의 관행적 해석이 존재한다. 관행적 해석은 조직의 모든 하위 그룹에서도 나타난다. 예를 들어, 각 부서는 업무에 고유한 관점을 가지고 있어서 부서만의 관행적인 해석을 한다(가령, 소프트웨어사의 연구개발 부서는 시장 점유율 감소를 항상 언급하며 제품에 많은 새로운 기능을 탑재해야 한다고 주장한다). 조직의 고위 간부는 조직 안에 존재하는 관행적 해석을 더 강화하는 역할을 하기도 한다. 그들은 진단 과정에서 관행적인 해석을 성급하게 내리거나, 다른 해석을 평가절하하며 영향을 미친다.

관행적 해석은 많은 상황에서 사용되는데, 이런 해석이 피상적으로나마 현실을 깨닫게 하기 때문이다. 시스템적인 문제를 개인적 동기나 사람들 간의 경쟁 관계에서 발생하는 것으로 해석하면 진실의 일부만을 이해하는 것이다. 물론 구성원의 개인적 동기를 파악하기만 해도 그들의 이해관계를 알 수 있어 이러한 해석이 유용하게 작용하기도 한다. 하지만 개인적인 동기를 제대로 이해하려면, 한 사람이 하나의 시스템으로서 어떻게 작동하는지를 알아야 한다. 사람들은 자신의 지지자들과의 관계에 의해 움직이기도 하고, 또는 자신이 가지고 있는 충성심에 의해 행동하기도 한다. 즉, 인정받고 싶은 사람들의 다양한 기대를 만족하기 위한 행동을 하기도 한다. 예를 들어 자신의 일자리를 보장할 수 있는 권위자의 기대에 부응하기 위해 일을 떠맡기도 한다.

관행적인 해석을 개인적인 차원으로 깊게 들여다보면 당신은 개인의 행동을 해석할 수 있는 시스템이 무엇인지 알게 된다. 결국, 우리가 진정으로 해석하기 원하는 것은 배후를 움직이고 있는 지지자들의 욕구이다.

사람들이 주관적이고 관행적인 해석에서 벗어나기 위해서는 다음과 같은 과정이 도움이 된다.

1. 그룹의 관행적인 해석을 파악하라

명확하게 파악되지 않는다면 발코니에 올라서서 각 그룹이 여러 다른 문제에 어떻게 반응하는지 관찰하고 패턴을 찾아보라. 가령, 그룹의 구성원들은 자신들의 잘못을 외부의 누군가(예를 들어 새로운 경쟁자, 공급자)의 탓으로 돌리는가? 그들은 경영진이 문제를 해결해주기를 기대하는가? 자신이 창의적이지 못하고, 용기를 내지 못하는 것이 특정 관리자 때문이라고 탓하는가? 문제를 완벽하게 해결해줄 거라고 믿으며 외부 전문가나 컨설턴트를 찾고 있지는 않은가?

2. 관행적 해석에 이름을 붙여라

당신이 속한 그룹이 어려운 대화까지도 수용할 수 있다면, 당신이 관찰한 관행적 해석에 관해 이야기하고, 그런 해석이 조직의 창의력과 변화 역량을 어떻게 저해하는지에 토론해보라. 당신이 속한 그룹이 어려운 대화를 수용하지 못한다면, 다르게 접근하라. 관행적이지 않은 해석이 가능하도록 질문을 던지고, 대화를 자극하라. 아래는 그런 질문의 예시다.

- 현재 해석의 바탕이 된 가설은 무엇인가? 그 가설은 얼마나 정확한가? 이 가설을 시험해볼 방법이 있는가?
- 이 문제를 아직 논의된 적 없는 새로운 시각으로 바라보게 하는 방법이 있는가?
- 조직에서 이 문제에 관심을 두고 있는 사람들은 누구인가? 그들은 이 상황을 어떻게 묘사하는가?

여러 가지 해석을 하라

어떠한 상황을 한 가지로만 해석하면, 행동 선택의 범위가 줄어든다. 보통 한 가지 해석은 그와 연결된 한정된 범위의 해결책으로 향하게 하기 때문이다. 선택의 폭을 넓히기 위해서는 사람들이 하나 이상의 해석을 할 수 있도록 장려해야 한다. '만약에'로 시작하는 질문들은 다양한 해석을 시도하는 데 도움이 된다. 다음의 예를 보자. "만약에 고객들이 상품에 새로 추가된 특징을 별로라고 생각하면 어떻게 할 것인가? 이러한 현상이 시장 점유율 하락에 대해 시사하는 바는 무엇인가?"

어떠한 상황이라도 다양한 해석을 할 수 있다. 때로는 단순한 구조적 변화를 통해 새로운 관점을 유도할 수도 있다. 우리는 컨설팅 기법인 '실행 후 검토after-activation review'라는 활동을 통해 이러한 현상을 경험했다. 컨설팅 과정 중에서 정리 회의debrief를 할 때면, 해당 프로젝트의 책임 컨설턴트만 프로젝트가 어떻게 진행되고 있는지에 대한 스토리와 해석을 제시했다. 이런 회의에서 우리는 늘 동료의 역할만을 유지하려 애썼다. 프로젝트의 초기부터 관여하지 않은 동료들의 경우, 책임자가 제시한 해석에 다른 관점을 제시하는 것을 꺼렸기 때문이다.

그러나 우리는 이러한 방식이 우리의 학습을 방해할 수도 있다는 것을 깨달았다. 그 후로는 아무리 작은 규모의 프로젝트 일지라도 짝을 이루어 일하기 시작했다. 선임 컨설턴트는 프로젝트가 진행되는 동안 업무를 제대로 이해할 수 있도록 돕는 역할을 담당했고, 프로젝트가 종료됐을 때 프로젝트를 평가하고 해석하는 제2의 관점을 제시하도록 했다. 우리는 프로젝트와 관련해 적어도 두 가지 이상의 해석이 기본적으로 이뤄질 수 있는 구조를 만들게 되었고, 다양한 해석을 통해 컨설팅의 성과를 향상할 수 있었다.

한 가지 이상의 해석을 내리려면 연습이 필요하다. 특히 여러 해석이 서로 충돌할 때에는 더욱더 그렇다. 복합적인 성격의 문제를 여러 가지로 해석할 경우, 이 해석들을 어설프게 하나로 합치는 것보다 각각의 해석을 제대로 이해할 수 있게 하는 것이 중요하다. 한 가지 이상의 해석이 존재할 때 어떤 일이 벌어지는지 잘 관찰하라. 어떤 해석이 채택되는가? 어떤 해석은 거부됐는가? 조직 내 분파들은 자신들에게 도움이 되는 해석을 선호할 것이다. 다음을 살펴보자.

조직 구성원들은 해석에 어떤 반응을 보이는가?

- 사람들은 자신이 속한 그룹의 가치나 이익이 깊이 연결된 해석을 선호한다. 예를 들어 성장이 정체된 법률 회사에 새로 입사한 시니어 파트너는 회사가 수익을 내지 못하는 이유가 장기근속 파트너들이 새로 들어온 동료들만큼 열심히 일하지 않기 때문이라고 해석했다. 이와 반대로, 장기근속한 대다수 파트너는 새로운 동료를 통합하는 것이 현재 회사가 해야 할 중점 과제라고 생각했다.

- 손실이 심각해 보이는 해석을 선호하지 않는다. 사람들은 고된 과정을 수반하는 변화 적응적 과업을 피하고 싶어 한다. 그래서 자신이 속한 그룹에서 이런 과업을 맡아야 한다고 제시하는 해석을 선호하지 않는다. 위에서 소개한 법률 회사의 예를 들어 보자. 이 법률 회사의 장기근속 파트너들은 회사가 장기근속자에게 부여하는 재정적, 복지적인 혜택을 줄이는 것을 절대 원치 않았다.

- 문제가 무르익지 않았을 때는 논의하고 싶어 하지 않는다. 조직 구성원들은 아직 논의할 준비가 되어 있지 않은 문제를 다루는 것을 꺼린다. 법률 회사의 사례처럼 조직은 새로운 동료와 통합하는 과제에만 집중하면서, 더이상 성과를 내지

않는 시니어 파트너들의 문제를 회피하려 했다. 이 문제가 훨씬 어려운 문제이기 때문이다.

- 조직 내 더 우세한 해석을 이용해서 갈등을 줄이려 한다. 법률 회사는 새로 입사한 시니어 파트너와 장기근속한 파트너들 사이의 가치 충돌을 드러내기보다는 새로운 동료를 운영위원회로 포함해서 통합 과제를 해결하는 데에만 집중하려 했다.

당신이 문제의 여러 해석을 드러내 논의하려고 하면 반대에 부딪힐 확률이 높다. 구성원들이나 조직 내 분파는 자신들이 선호하는 해석을 주장할 것이다. 그러므로 조직 구성원들이 함께 대안적인 해석을 만들고 책임질 수 있도록 구조화를 시도해 보라. 예를 들어 그룹을 더 세분화해보자. 그리고 그룹별로 한 가지 해석을 배분하고, 이를 구체적인 행동으로 옮길 수 있는 아이디어를 내라. 각 그룹에서 제시한 다양한 해석을 분석하라. 어떤 것이 사람들을 불편하게 하는가? 앞서 언급했던 그림처럼, 어떤 것이 사람들을 오른쪽으로 움직이게 하는가? 다양한 해석이 제시되면 다음과 같이 질문해보라. "여러 해석 중 어떤 것이 다른 것들보다 더 정확한지 어떻게 알 수 있을까요?" 어떤 해석이 긍정적인 에너지를 불러일으키는지, 어떤 해석이 부정적인 에너지를 불러일으키는지 알아보기 위해 간단한 실험을 시도하라. 그 과정을 반복해보고 때로는 즉흥적인 실험을 해보라. 어떤 해석은 사람들의 대화 속에 더 오랫동안 화제로 등장하고, 더 많은 반응을 발생시킨다는 것을 알게 될 것이다.

자신의 생각을 평가하라

사람들에겐 자신만의 관행적 해석이 존재하며, 자연스럽게 여러 해석 가운데 특정한 해석을 선호하게 된다. 이런 자신만의 편향을 벗어나기 위해서는 자신의 해석을 무조건 옹호하기보다는 차분하게 평가해보기를 바란다. 당신의 해석을 누군가에게 전달할 때는 그 해석에 완벽히 몰입하라. 하지만 그 이후에는 당신의 해석에서 벗어나서 사람들의 평가를 들어보고 그들이 당신의 해석에 보이는 반응(혹은 무반응)을 관찰하라.

최근 우리는 한 회사의 워크숍에 참여했다. 그 회사는 워크숍을 통해 여자 직원들의 높은 퇴사율의 이유를 제대로 이해하고 이 문제를 개선하고 싶어 했다. 이 과정에서 한 직원이 회사의 기본 규칙이 여성보다는 남성의 방식에 가깝게 직선적이고 공격적인 것 같다고 이야기했다. 이는 사람들을 불편하게 하는 발언이었으며, 곧이어 조직 특유의 직선적이고 공격적인 반응이 나왔다. 하지만 그 의견을 제시한 직원은 자신의 관점을 추가로 설명하거나 방어하지 않고 몇 분 동안 잠잠히 기다렸다. 그리고 난 후, 그는 자신의 의견에 그들이 보인 반응이 이 주제를 다루기에 적절했는지 되물었다. 만약, 그가 계속해서 자신의 의견을 설명하고 방어했다면 자신의 해석을 뒷받침해 줄 그 모든 근거를 발견해 낼 수 없었을 것이다.

다양한 해석을 하라

변화 적응적 과업은 상이하고 다양한 관점을 조율해나가는 일이다. 이상적인 사회에서 사람들은 반대 의견이 존재한다고 해도 위협으로 느끼지 않는다. 오히려, 다양한 관점은 사회의 전체적인 모습이 무엇인지 이해하게 만드는 소중한 조각이라고 여긴다. 그리고 서로 다른 퍼즐 조각이 많을수록, 우리는 자신이 어떤 문제를 대처해나가고 있는지 더 잘 이해하게 된다. 그뿐만 아니라 현재 직면한 문제를 풀어가기 위해서 어떻게 행동해야 할지 이해할 수 있다.

변화 적응적 과업을 진화생물학에 비유해 설명할 수 있다. 생물의 진화에서 유성생식sexual reproduction과 복제cloning를 비교해보자. 유성생식은 어떠한 종(種)이 새로운 환경에 적응하기 위해 가장 적합한 수정체를 생산하는 과정이다. 반면, 복제는 유성생식보다 매우 효율적인 과정으로 동일한 개체를 대량 생산해낼 수 있다. 하지만 복제를 통해서는 다양성과 혁신이 나타나지 않는다. 복제로는 생명체가 새로운 환경에서 새로운 방식으로 번식해갈 수 없다. 조직도 이와 마찬가지다. 조직이 직면하고 있는 도전을 어떻게 해결해나갈지 한 사람의 의견에 의존하기보다는 다양한 사람들의 여러 해석을 수용하고 이를 조율해 나가는 역량을 강화할 때, 훨씬 더 혁신적인 결과를 도출할 수 있다.

물론 다양한 해석을 수용하는 것은 피곤한 과정일 수 있다. 일반적으로 다양하고 창의적인 해석을 추구하는 것은 한 가지의 해석을 추구하는 것보다 비효율적이고, 마찰이 일어나기 쉽고, 시간이 많이 든다. 창의적인 방식은 기술적 문제를 다룰 때 특히 비효율적이다. 예를 들어 응급실에서는 권위 있는 지식을 요구하고, 의견 일치를 이루는 것이 가장 효율적인 해결책인 것처럼 말이다. 하지만 어댑티브 챌린지에 대처해야 하기 위해서는 창의적인 접근이 필요하다. 그리고 이러한 창의성이 발휘되기 위해서는 문제

분석과 해결 과정에서 발생하는 고통을 인내해야 한다. 변화 적응 역량을 높일 수 있는 새로운 아이디어들이 도출되기 위해서는 고통스러운 과정을 거쳐야 하기 때문이다.

당신이 속한 조직이나 공동체에서 다양한 해석을 발현하기 위해서는 구성원들이 서로 마주하고 교류하며 충분히 아이디어를 얻을 수 있도록 계속해서 부글부글 끓이는 것을 유지해야 한다. 조직 구성원들이 서로의 관점을 제대로 이해하고, 각자가 이해할 수 있는 해결책을 논의하기 시작할 때, 조직의 온도가 적정 수준으로 올라왔다고 판단할 수 있다.

3.2

효과적인 실행안을 설계하라

Design Effective Interventions

잘 구조화된 실행안은 조직 내의 사람들을 움직여 변화에 적응하게 한다. 변화 적응을 위한 개입은 다양한 시점에 이루어진다. 예를 들어, 개입을 통해 사람들은 어려운 문제를 수면 위로 드러내고, 주의를 집중시키며, 구성원들이 어려운 시기를 헤쳐나가게 할 수 있다.

당신의 개입이 효과적이려면 앞서 보았던 〈그림3-1〉의 오른쪽 특성(변화적, 갈등적, 시스템적)에 기반을 두고 이루어져야 한다. 일시적으로 사람들을 왼쪽으로 움직이게 하는 전략을 쓸 수도 있다. 개인적인 이해관계를 설명하거나 사람들에 관한 개인적인 해석을 제시하기 위해서 말이다. 하지만 시스템적인 관점을 유지하면서 개입해야만, 사람들이 상황을 객관적으로 해석하도록 도울 수 있다.

다음의 내용은 효과적으로 개입하기 위해 실천할 수 있는 체크리스트다. 이 리스트는 단계별 정보로 구성되어 있지만, 상황에 따라 유연하게 적용할 수 있으며 개별적으로 실천해도 무방하다. 실행안을 이행하면서 중간 점검이 필요할 때도 있다. 개입이 이루어질 때마다 새로운 정보와 대응이 발생하고, 이는 수정된 행동을 요구하기도 한다. 어떤 행동을 실행할 때 유연한 자세를 유지하고, 끊임없이 회고하며, 지치지 말고 나아가라.

1단계 : : 발코니에서 바라보라

'10까지 세기count to 10'라는 방법을 알고 있는가? '발코니에서 바라보기'는 '10까지 세기'에서 한 가지를 더 응용한 것이다. 단순히 숫자를 세는 것에 그치지 말고 천천히 숫자를 세면서 주변에서 무슨 일이 일어나는지 관찰하라. 그리고 행동하는 동안에도 끊임없이 상황을 진단하라. 한 가지 이상의 해석을 만들어보라. 상황 속에 특정한 패턴이 존재하는지 관찰해보라. 당신의 해석이 지나치게 편향적이거나 관행적이지 않은지 의심하고, 현재 마주하고 있는 현실과 부합하는지 확인해보라. 당신이나 다른 사람의 행동 때문에 발생한 변화는 무엇이 있는지 평가하기 위해서 동료들과 가능하면 자주 회고의 시간을 가져보라. 그리고 이를 통해 당신이 앞으로 나아가야 할 방향이 무엇인지 생각해보라.

2단계 : : 조직의 문제가 얼마나 무르익었는지 파악하라

1부의 생산적 불안정 구역을 다시 살펴보자(〈그림1-3〉 참고). 당신의 속한 집단이나 조직은 도표의 어느 부분에 위치한다고 생각하는가? 구성원들은 문제를 대처해나가기에 충분히 유연하고, 제대로 준비돼 있는가? 만약, 문제에 대한 긴박함이 조직 전체에 퍼져 있다면 문제는 '무르익었다'고 할 수 있다. 하지만 조직 내 특정 집단만 열정적으로 관심을 보이고 대다수는 다른 우선순위를 갖고 있다면 그 문제는 아직 무르익지 않은 것이다. 문제가 얼마나 무르익었는지 파악하는 것은 매우 중요하다. 조직 구성원들이 아직 충분히 공감하지 않는 문제를 무르익게 하는 실행 전략과 이미 무르익은 문제를 해결해가는 실행 전략은 다르기 때문이다.

예를 들어보자. 환경문제에 열정적인 사람들은 수십 년간 존재해왔다. 하지만 이 문제는 그동안 대중적인 관심사로 자리 잡지 못했다. 수년간 환경 단체들은 긴박한 환경 상황을 알리며 대중의 관심을 집중시키는 전략을 폈다. 그린피스가 공개적으로 투쟁하거나, 시에라 클럽Sierra Club이 소송을 벌인 것은 바로 그런 전략이었고 다분히 의도적인 도발이었다. 하지만 환경 분야에서도 서서히 변화의 조짐이 일었다.

지구 온난화로 인한 치명적인 결과들이 목격됐고 앨 고어와 같은 많은 사람의 노력 덕분에 환경문제는 세계적으로 무르익게 된 것이다. 이제 환경 단체들은 전략을 변화시킬 필요성을 인지하게 됐다. 이들은 공격적인 태도에서 협력을 추구하는 전략으로 수정하기 시작했다. 공공 정책이나 기업 운영 방식을 전반적으로 변화시키고 전 세계의 수십억 사람들의 행동을 변화시키기 위해서는 더 부드러운 방식이 필요하다는 것을 깨달았다.

문제가 어느 정도 무르익었는지 파악하는 것은 행동 전략을 세울 때 매우 중요하다. 조직의 한 집단만 문제를 긴박하게 인식하고, 조직 전체에 공유되지 않은 지엽적인 상태인가? 아니면, 어댑티브 챌린지를 해결할 때 겪어야 하는 고통이 너무 커서 사람들이 불안정한 상태로 들어가는 것을 회피하지는 않는가? 사람들은 현재 상황을 어떻게 인식하는가? 직면한 상황을 기술적 문제로 보는 관점과 어댑티브 챌린지로 보는 관점 중 어느 쪽이 더 우세한가?

위의 질문에 대한 대답은 행동과 개입 전략을 구상하고 실행 시기를 결정하는 데 매우 중요하다. 예를 들어, 어떤 회사 경영진이 단 한 명의 대형 고객에게만 사업을 집중하고 있다고 가정해보자. 심지어 지나친 사업 의존도에 대한 문제의식도 없고 고객 및 서비스 다양화에 관심이 없다고 생각해 보자.

회사는 특정 고객 덕분에 성공했지만, 마케팅이나 새로운 상품 및 서비스 개발에 충분한 역량을 갖추고 있는지 확실하지 않은 상태다. 그뿐만 아니라, 경제적인 위기를 맞았기 때문에 조직 전반에 불안감은 고조되어 있다. 당신은 현재의 위기 상황이 특정 고객에 대한 지나친 의존에서 벗어나고, 신규 사업 전략의 필요를 깨닫는 기회가 될 것이라 기대한다. 그러나 매일 열리는 회의는 여전히 특정 고객과의 관계와 단기 비용 절감에만 집중되어 있다. 이런 경우, 회의에서 혼자 직접 이 문제를 제기하고 경영진의 과업 회피를 지적하는 것은 위험하다. 이보다는 신중하게 이 문제에 개입할 방법을 고민하고, 이 문제를 함께 해결할 협력자ally를 찾으며, 문제를 해결할 시간을 확보하기 위해 다른 비용을 절감할 방안을 찾아낼 수 있다. 그리고 이 문제에 관심을 불러일으킬 수 있는 비공식적인 회의 자리를 마련해 대화를 나눌 수 있다.

마티는 매사추세츠 주지사와 함께 일한 적이 있다. 매일 주지사는 보좌관들과 함께 지역의 문제를 논의하고 계획을 수립하는 회의를 했다. 보좌관들은 긴 타원형 탁자의 지정된 자리에 앉았고, 주지사는 매일 같은 순서로 각 사람에게 토의할 안건이 있는지 질문했는데 누군가 안건을 제시하면 바로 토의가 이뤄졌다. 마티의 순서는 가장 마지막이었다. 그는 자신의 차례가 돌아왔을 때, 먼저 그날 회의의 온도를 점검해보고, 그들이 생산적 불안정 구역에서 어느 부분에 위치하는지 분석했다. 참석자들이 문제를 수용할 수 있는 상황인지 판단한 후 마티는 자신의 안건을 이야기했다. 마티는 상황을 잘 분석해서 사람들이 문제를 최대한 수용하도록 이끌어가는 경우도 종종 있었다. 하지만 마티가 너무 집중하고 있는 주제를 회의에서 성급하게 거론하는 때도 있었다. 좀 더 시간이 지난 후에 논의되면 더 좋았을 주제인데도 말이다.

3단계 : : 전체 그림에서 자신의 위치를 알아라

다양한 집단 속에서 당신의 모습은 어떠한가? 그 집단 속에서 당신이 맡은 역할을 무엇인가? 당신은 집단 안에서 변화 적응적 문제에 관해 어떤 관점을 보여왔는가? 사람들은 당신이 그동안 보여왔던 행동 방식을 이미 파악하고 있기에 당신을 적절하게 다루어서 안정 상태를 깨뜨리지 못하도록 만들 것이다.

일관성은 경영에서 매우 중요한 가치이지만, 어댑티브 리더십에서는 큰 제약이 된다. 당신은 평소보다 예측하기 어려워져야 한다. 그렇게 행동할 때, 구성원들은 더 주의 깊게 당신을 바라볼 것이고 변화 적응적 문제에 관심을 기울이기 시작할 것이다. 예를 들어, 당신이 항상 아이디어를 내는 사람이라고 가정해보자. 당신이 어떤 실행안을 제시하면, 다른 사람은 아무 말도 하지 않고 그저 기다릴 확률이 높다.

왜냐하면, 그들이 무엇인가를 생각하고 말할 때 당신에게 의존하는 데 익숙하기 때문이다. 이럴 경우, 말하기를 멈추어야 한다. 그리고 다른 사람이 의견을 이야기하고 아이디어를 제시할 때까지 기다려야 한다. 만약 당신이 평소에 부드럽게 말하고 공손하게 말하는 성향이라면, 더 열정적이거나 권위적으로 행동해보라. 반대로 당신이 너무 열정적이거나 권위적이었다면, 부드럽고 공손하게 말해보라. 이전에 성공하지 못했던 방식을 계속해서 사용하기보다는 사람들이 예상하지 못한 방식을 시도해보기를 권한다.

4단계 : : 자신의 해석을 더 깊게 생각하라

구조화가 잘된 해석이란 무엇일까? 왜 그 행동이 중요한지, 그리고 어떤 방식으로 행동해야 하는지를 제시할 수 있는 해석이 바로 잘 구조화된 해석이다. 한편, 조직을 움직이는 어떤 행동을 실행할 때 당신은 구성원들의 희망과 두려움을 건드리고 있음을 이해해야 한다. 당신의 행동은 사람들의 마음에 진동을 일으키고 있다. 그렇기에 사람들의 마음이 어디에 있는지를 먼저 이해해야 한다. 당신이 그들의 내면을 움직이면 사람들은 영감을 받고 변화를 향해 전진하게 된다. 마틴 루터 킹은 모든 미국인의 꿈과 자신의 꿈을 연결했다. 그리고 그는 모든 미국인에게 미국은 어떻게 시작된 국가인지 상기시켰고, 모든 미국인이 개인의 꿈을 추구하는 데 그치지 말고 미국의 모든 이들이 함께 꾸고 있는 꿈을 위해 헌신해야 한다고 도전했다.

사람들에게 다가갈 때 지적인 논리와 사실, 그리고 감성적인 가치와 믿음, 습관들 사이의 균형에 대해 생각해보라. 어떤 사람들과 집단은 감정보다는 데이터를 중요시한다. 하지만 어떤 사람은 정반대일 수 있다. 당신의 언어를 그들이 지지하는 가치와 목적에 맞추어 연결되도록 하라. 한편으로는 사람들의 주의를 집중시키는 언어를 사용할지, 화합보다는 갈등이나 회피를 불러일으킬 언어를 사용할지 두 언어 사이의 균형을 고려해야 한다.

5단계 : : 잠시 멈추고 상황을 주시하라

당신이 조직 내부를 움직이는 실행안을 만들었다면, 그 실행안이 살아 움직일 거라 생각하고 진행하라. 실행안이 어떻게 변화해가는지 끊임없이 관찰해야 한다. 시스템 안에서 아이디어가 적용되기 시작하면 독특한 영향이 생기기 시작하고, 사람들은 그 아이디어를 이해하고 생각하고 논의하고 수정할 시간이 필요하다. 만일 당신이 생각해낸 실행안이라고 해서 그 실행안을 당신만의 것으로 생각하면 그 실행안에는 당신의 의견이나 의도가 지나치게 많이 담기게 된다.

일단 실행안이 만들어지면 그 실행안은 모든 구성원의 것이 된다. 그들이 그 실행안으로 어떤 시도를 하든 당신은 통제 할 수 없다. 과정이 진행되는 동안 당신은 개입하고 싶은 충동을 절제하고 다음과 같은 말은 하지 말아야 한다. “아니, 그렇게 하면 안 되죠. 내가 의도했던 것은…” “내 말을 제대로 알아들은 건가요?” “제가 다시 설명할게요” “제 말을 잘못 이해했군요” 등 조직원들이 당신의 간섭 없이 실행안을 진행할 수 있게 하라. 조직 내의 다양한 그룹이 실행안에 어떻게 반응하는지 지켜보면서 당신은 다음 단계를 기획하고 조정할 수 있다. 실행안이 적용되는 과정에서 두드러지게 나타나는 방식과 요소를 관찰하라. 또한 사람들의 회피 반응도 잘 살펴보라. 예를 들어 알레르기 반응처럼 나타나는 즉각적인 거부나 침묵 등을 잘 관찰하라.

당신이 침묵하는 것도 개입의 한 방식이다. 침묵은 다른 사람이 채워야 할 빈 곳을 만들기 때문이다. 이때 중요한 것은 흔들리지 않고 사람들의 의견을 계속 듣는 것이다. 말하자면 경청하면서 침묵해야 한다. '경청하는 침묵silence of holding steady'은 '뒤로 물러나 버리는 침묵silence of holding back'과는 다르다. 침묵 상태도 의사소통으로 받아들여지고, 사람들이 당신의 실행안에 관심을 유지하는 데에 도움이 된다. 잠잠히 인내심을 가지고 사람들의 이야기를 경청하고 정보를 수집하면 당신이 무엇을 할지 이해할 수 있다.

상황을 주시한다는 것은 잠시 멈추어 침묵을 경청하는 것이다. 사람들은 내색하지는 않지만, 당신의 인내심에 고마워하고 존경을 표할 것이다. 반대로, '뒤로 물러나 버리는 침묵'은 후퇴의 한 형태로 볼 수 있으며, 실행안이 진행되는 방식과 속도에서 당신의 관점이 반영되지 않은 것에 대한 좌절이나 체념의 표현일 수 있다.

'뒤로 물러나버리는 침묵'도 의사소통이다. 사람들은 당신의 성급함과 좌절감을 알아차리고, 그들에게 짜증을 낸다고 해석할 수 있다. 당신의 부정적인 감정은 당신도 모르는 사이 다음 실행안에 영향을 줄 수 있고, 사람들은 실행안 자체보다 당신의 반응에 더 신경을 쓸 것이다. 사람들은 "우리가 그 사람의 말을 오해한 건 아니겠지?"라거나 "그 사람 도대체 왜 그러는 거야?"라고 말하기 쉽다.

6단계 : : 문제와 연관된 다양한 그룹을 분석하라

당신이 속해 있는 가까운 그룹의 사람들과 실행안을 논의할 때, 주의깊게 사람들을 관찰하라. 누가 당신의 실행안에 관심을 보이는지, 누가 당신의 말이나 생각을 마치 자신의 것처럼 사용하는지 말이다. 또한 당신의 아이디어에 반대하는 사람의 입장도 들어보라. 이런 관찰 내용을 활용하여 문제와 관련된 다양한 그룹의 상황을 파악할 수 있다. 당신과 가까운 그룹의 정치적 관계를 지도로 그려보면 전체 조직이 이 문제에 어떻게 대응할지 알 수 있다. 이렇게 그룹의 정치적 관계를 파악하는 것이 중요한 이유는, 당신이 기대하는 변화를 만들어내기 위해서는 역할과 소속이 다른 다양한 그룹의 참여를 끌어낼 정교한 실행안이 필요하기 때문이다.

7단계 : : 변화 적응적 과업이 사람들의 우선순위가 되게 하라

변화 적응적 과업을 회피하려는 사람들의 반응은 일반적이다. 변화에는 손실이 따르기 때문이다. 새로운 적응 과정에서 조직이 보유하고 있는 거의 모든 문화적, 제도적, 정치적, 개인적 유전자가 존중받고 보존된다고 하더라도 혹시라도 경험할 수 있는 무능력감, 우선순위의 변화, 직접적인 손실 때문에 사람들은 움츠러들게 된다.

이런 회피 반응은 부끄러워할 것이 아니다. 이는 지극히 인간적인 반응이다. 당신이 속해 있는 팀도 어댑티브 챌린지를 진단하는 일이나 이를 해결하기 위한 행동을 하기보다는 이런 일을 회피할 방법을 찾아내려 할 것이다. 사람들은 실행안의 내용 자체를 반대한다기보다는 그 아이디어가 실행됐을 때 자신이 무엇을 잃게 될까 두려워서 실행안을 거부한다. 한편, 사람들은 자신이 속한 그룹의 사람들을 대변해서 반대 생각을 표명하기도 한다. 그래서 다음과 같은 반응을 보인다. "괜찮은 아이디어인 것 같지만, 우리 부서 직원들은 이 아이디어를 어떻게 받아들일까? 어떻게 사람들의 화를 돋우지 않으면서 이 아이디어를 전달할까?"

사람들은 어댑티브 챌린지를 해결하려는 사람을 공격할 수 있다. 당신이나 당신의 협력자, 혹은 조직에서 변화 적응적 과업을 해결하는 데 동참하고 있는 사람들을 말이다. 사람들은 종종 변화 적응적 문제를 개인적인 문제로 돌리거나, 정치적 관계를 교묘하게 조종하여 문제의 핵심에서 벗어나길 원할 것이다. "시장 점유율이 떨어지고 있는 이유를 빨리 알아내야 한다" "기술이 빠르게 진보하고 있으며 우리는 이미 뒤처지고 있다" "혁신을 지원한다고 하지만 정작 아무 자원도 투자하지 않았다"라고 문제를 해석하기보다는 "이건 대표의 문제다. 대표가 옛날 방식만 고수하고, 배짱이 부족하다" "여기 있는 사람들은 모두 이기적인 이유로 이곳에 있다" "이 팀은 제대로 돌아가지 않는다"라고 말하는 경향이 있다.

새로운 방향으로 조직을 이끌어가기 위해서는 그러한 시도가 각 개인과 그룹에 어떠한 영향을 미치는지 이해해야 한다. 또한 각 그룹의 구성원들이 그 방향에 동의하는지 그렇지 않은지를 이해하게 되면, 사람들은 그 그룹을 대표하는 사람이 어떻게 행동할지 이해할 수 있다. 당신의 훌륭한 아이디어가 기존의 평판, 신뢰, 공식적/비공식적 권위를 유지하고 싶은 사람들에게는 골칫거리로 여겨지기도 한다. 그들은 당신의 아이디어에 반대할 개인적 사유가 있어도, 자신이 문제 해결에 왜 적극적으로 동참하지 않는지 제대로 설명하지 않을 것이다.

일단, 당신의 실행안에 반대하는 사람들은 자신이 왜 반대하는지 솔직하게 인정하지 않겠지만, 그들이 반대할 수밖에 없는 이유를 찾아서 해결하려고 노력해보라. 당신의 성격이나 의사소통 방식에 맞는 해결 방안이 있을 것이다. "제가 당신의 부서에 직접 가서 새로운 전략을 설명하면 어떨까요? 이렇게 하면 당신이 나서서 설명하지 않아도 됩니다"라거나 "지난 몇 년간 당신 팀이 IT 시스템을 업그레이드해 달라고 요구한 것을 알고 있습니다. 이번에 만약 그 일이 일어나면 이 변화를 만들어낸 핵심 인물이 당신이라고 꼭 밝히겠습니다"라고 말할 수도 있다.

두 번째 전략은 당신의 실행안을 반대하는 사람들이 자신이나, 자신이 속한 그룹의 구성원들을 바르게 이해할 수 있도록 돕는 것이다. 사람들이 어떤 실행안에 반대하는 이유는 그들이 타협할 줄 모르거나, 창의성이 떨어지기 때문이 아니라, 변화 가운데 무언가를 잃게 될 것이 두렵고 위협적으로 느끼기 때문이라는 것을 이해시켜야 한다. 사람들이 가지고 있는 손실의 두려움을 적절하게 다루기 위해서는 그 손실을 고려하고 존중하는 전략이 필요하다.

마지막으로, 협력자를 찾아야 한다. 당신은 다른 사람들과 협력하면서 사람들이 변화 적응적 과업에 계속해서 집중하게 해야 한다. 당신도 변화를 만드는 과정에서 고립되기를 원치 않을 것이다. 당신이 계속해서 앞으로 나아가고, 구성원들이 안전지대 밖으로 한발 나오게 하려면 협력자의 역할이 매우 중요하다. 협력자의 중요성은 다음 장에서 더 자세히 소개하려 한다.

발코니에서 바라보기

Q1 앞에서 제시된 7단계는 일종의 역량이라고 할 수 있다. 단계별로 자신의 상태에 대해 1부터 10까지 점수를 매겨 보라. 당신의 강점은 어디에 있는가? 당신의 역량을 더 발전시켜야 하는 단계는 어디인가?

현장에서 적용하기

Q1 다음번 회의에 참석할 때 자신을 잘 살펴보라. 참석자들이 말하는 동안 당신의 머릿속에서 무슨 일이 일어나고 있는지 관찰하라. 그들의 아이디어나 의견을 판단하고 있는가? 당신의 차례가 되었을 때 무엇을 말할까 연습하고 있는가? 당신은 어떤 방식으로 무도회장에서 바라보고 있으며, 또 어떤 방식으로 행동하고 있는가?

다른 사람들의 의견을 경청하면서 그들이 누구를 대표해서 이야기하고 있는지, 누구의 관점을 대변하고 있는지 파악해보자. 그리고 당신의 관점을 지금 논의되고 있는 주제나 관심사들과 어떻게 연결해 설명할 수 있을지 생각해보라.

3.3

정치적 관계를 고려하여 행동하라

Act Politically

우리는 의도적으로 '정치적 관계를 고려하라think politically'는 표현을 사용했다. 이 표현을 통해 리더십이란 조직 내부 구성원들의 다양한 관계와 관심사를 파악해야 하는 것임을 설명하고 싶기 때문이다. 정치적 관계를 이해하는 사람들은 조직 내부 구성원 사이에 존재하는 공식적/비공식적인 힘과 영향력을 제대로 알고 있다. 그들은 변화 속에서 사람들이 어떤 영향을 받는지, 어떤 두려움을 느끼는지, 구성원들이 변화를 받아들이기 어렵게 만드는 관계는 무엇인지, 사람들은 어떤 이해관계로 엮여 있는지 이해하기 위해 노력한다. 그리고 관계의 중요성을 이해한다. 만약 당신이 인간 내면의 복잡성을 이해하지 못한 채 변화를 이끌어가려 한다면 당신의 시도는 성공하기 어려울 것이다.

'정치적 관계를 고려해서 행동하라act politically'는 말은 당신의 권한에 한계가 있음을 인정하고, 이해관계자를 이해하며, 지휘권의 한계를 인지하는 것을 뜻한다. 또한 이해관계자와의 관계와 조직 내 힘과 영향력의 네트워크를 이해하고 당신과 함께 노력해 줄 협력자alliance를 만드는 것을 의미한다. 나아가 반대자opposition를 통합하고 그 의견을 약화하는 것, 관점 및 계획을 조정하면서 변화 적응적 과업을 이끌 때 가치 있는 반대 의견이 제 목소리를 내도록 환경을 만드는 것을 말한다. 정치적 관계를 더욱 잘 이해하고 행동하기 위해 다음의 여섯 가지 지침과 개념들을 실천해 보고자 한다.

비공식적 권한을 확대하라

당신의 사적이고, 비공식적인 권한을 의도적으로 확대해야 한다. 당신의 비공식적 권한이 더 커질수록 변화를 이끌고 나갈 때, 사람들의 기대를 좌절시켜야 하는 위험 부담이 줄어든다. (〈그림 3-2〉의 A 지점)

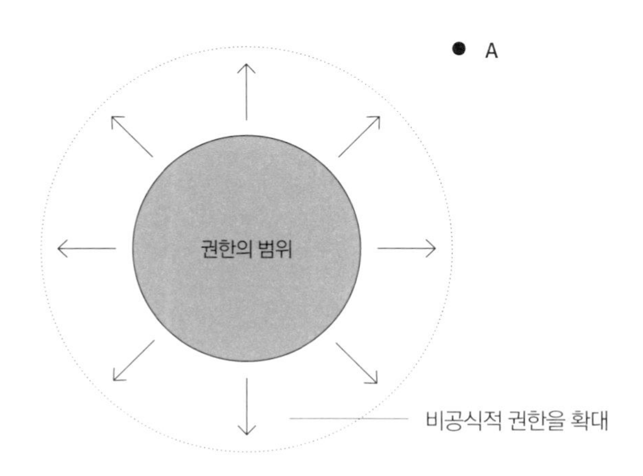

〈그림3-2〉 비공식적 권한을 확대하라

어댑티브 챌린지가 감지되었을 때, 그 문제와 관련해서 비공식적 권한을 늘릴 수 있도록 계획을 세워보라. 여기 몇 가지 아이디어가 있다.

- **관계를 강화하라**

  특히 적응적 변화와 관련해 가장 큰 이해관계를 가진 사람들(그 사람의 관점과는 무관하게)과 강력한 유대 관계를 형성하라. 그들의 이해관계와 충성심을 이해하기 위해 그들의 이야기를 경청하라.

- **초기에 점수를 획득하라**

  어댑티브 챌린지와 연결된 기술적 문제를 해결하라. 빠르게 작은 성과를 만들어서, 당신의 주변에 있는 부하직원, 동료, 상사들과 신뢰를 쌓아라. 그러면 적응적 변화라는 미지의 세계로 사람들을 이끌어갈 때, 좀 더 자신감 있고 여유 있는 태도로 나갈 수 있다.

- **어댑티브 챌린지와 연관되지 않은 이해관계를 다뤄라**

  어댑티브 챌린지를 해결해나가기 위해서는 이 문제와 관련되지 않은 사안에서 당신과 협력할 수 있으면서 최소한 당신에게 반대하지 않는 사람들과 유대 관계를 쌓아야 한다.

- **당신의 아이디어를 조금씩 공유해라**

  막대한 비용과 손실이 따르는 큰 실행안을 시도하기보다는 파일럿 프로젝트와 같은 작은 시도나 실행안을 먼저 실험해 보라. 그렇게 작은 시도들이 성공적으로 판명되면, 당신의 실행안을 좀 더 큰 규모로 시도할 수 있다.

발코니에서 바라보기

Q1 당신은 누구에게 비공식적 권한이나 영향력을 가장 많이 발휘하는가? 동료인가? 부하직원인가? 상사인가? 아니면 고객이나 외부 파트너인가? 어떤 대상에게 비공식적 권한을 더 많이 행사해야 할까? 왜 그렇게 생각하는가? 당신의 비공식적 권한을 확대하기 위해서는 그들과 어떤 관계를 만들어야 하는가?

Q2 비공식적 권한을 확대하는 방법은 여러 가지가 있다. 비공식적 권한을 확대하기 위해서 억지스럽게 노력할 필요는 없다. 타인에게 비공식적 권한을 형성해갈 때, 당신은 어떤 스타일인가? 예를 들어, 사람들 주변으로 다가가서 재미있는 이야기를 하는가? 농담을 하는가? 사람들의 기대를 충족시키는가? 부탁을 들어주는가? 사람들의 이야기를 잘 들어주는가? 다른 사람들의 이야기를 끌어내는 편인가? 각기 다른 사회적 환경—직장, 가족, 공동체—에서 당신의 모습은 어떻게 바뀌는가? 당신이 더 익숙해져야 할 다른 스타일이 있을까?

현장에서 적용하기

Q1 당신이 누구에게 더 비공식적 권한을 가지고 싶은지 생각해보라. 그리고 3주 동안 그 사람이 기대하는 것 이상으로 노력하는 연습을 해보라.

Q2 이벤트를 만드는 사람이 되어 보자. 사람들을 불러 모을 수 있는 새로운 활동을 기획해보라. 상황이 힘들 때 도움을 받을 수 있도록 사람들과 관계를 맺고 서로 연결될 기회를 만들어보라. 예를 들어, 힘든 회의 후 술을 한잔할 수도 있고, 점심을 함께할 수도 있고, 누군가의 성공을 축하할 수도 있을 것이다.

Q3 모든 회의에 일찍 도착하고 회의가 끝난 후에도 늦게까지 남아라. 회의 전에 사람들과 어울리는 시간을 갖고 회의가 끝난 후에는 그들 중 몇 사람과 회의를 되돌아보라. 회의 후 이야기를 나눠보면 사람들과 유대감이 강화되고 사람들이 회의에서 논의된 주제를 어떻게 생각하는지 파악할 수 있고 조직 내에 어떤 동맹 관계가 만들어지는지 파악할 수 있다.

협력자를 찾아라

협력자 없이 변화를 이끌어가는 것은 외투도 입지 않고 한겨울 뉴욕 추위에 맞서는 것과 같다. 특히 스무 명 이상으로 구성된 그룹이나 조직에서 변화를 이끌고자 할 때는 더욱더 그렇다. 이런 조직에서는 복잡한 정치적 관계가 존재하기 때문에 혼자서 변화의 흐름을 만들기는 불가능하다.

당신의 실행안을 공식 석상에 공개하기 전에, 그것을 충분히 지지해줄 협력자가 있는지 점검해야 한다. 협력자가 충분할 때, 당신의 개입이 성공할 확률이 높아지기 때문이다. 그렇다면 협력자를 어디서 찾을 것인가? 2부 '2.3 조직의 정치적 관계를 진단하라'를 다시 확인해보라(〈표2-3〉 참고). 어떤 이해관계자가 당신의 실행안에 관심을 가지는지 확인하라. 잠재적 협력자는 어댑티브 챌린지에 당신과 비슷한 관점을 가지고 있는 사람으로서, 당신의 실행안이 성공할 경우 가장 많은 혜택을 얻을 사람이다. 또한 당신과 관심사는 다르지만 서로 상충하지 않아서 나중에라도 협력자가 될 수 있는 이해관계자도 찾아보라.

예를 들어 현재 당면한 문제에는 특별히 관심은 없지만, 당신이나 당신의 협력자들과 협력하면 장기적으로는 이득을 보는 사람이 있을 수 있다. 또한 당신에게 신세를 진 사람이나 당신과 과거를 공유하는 사람(같은 학교를 나왔다거나, 직장에서나 개인적으로 어려움을 나눈 사람)도 협력자가 될 수 있다. 당신이 조직에서 추구하는 긍정적인 가치를 구현하고 있다고 생각하는 사람들도 협력자가 될 수 있다. 한편, 과거에 당신의 제안에 반대했거나, 경쟁 부서에 온 사람처럼 당신과 협력하지 않으리라 생각하는 사람에게도 특별히 관심을 가져라. 예상치 못한 사람과의 협력은 당신의 제안에 반대하거나 아직 결정을 못 한 사람에게 강한 인상을 줄 것이다. 당신의 생각을 크게 지지하지 않는 조직 내 다른 그룹을 유심히 살펴보고 그들 가운데에서 협력자를 얻을 기회를 엿보라.

협력자의 배경은 다양해서 당신에 대한 충성심 외에 또 다른 대상에도 충성심을 갖고 있다. 그들이 어떤 충성심을 갖는지 이해해야 그들과 긍정적이고 지속적인 관계를 맺을 수 있다.

해리에게 무슨 일이 일어났는가?

잭은 자동차 회사의 기술부서에서 근무했다. 잭과 해리는 예전부터 부서 간 협업 프로젝트를 통해 일했던 좋은 동료다. 잭과 해리는 미국 고객과 시장뿐 아니라 유럽인의 기준도 만족하는 새로운 자동차 구조를 디자인하는 프로젝트를 맡게 됐다. 이 프로젝트를 위해서는 디트로이트의 엔지니어들과 독일의 엔지니어와 협력해야 했다. 하지만 두 팀은 한 번도 함께 일을 해본 적이 없었다. 잭과 해리는 디트로이트에 있는 서로 다른 디자인 팀에서 일했지만, 잭의 생각에는 해리가 자기 생각에 공감하고 있는 것으로 보였다. 특히, 디자인에 관한 것이나 독일팀과 함께 일해야 하는 필요에 대해서 말이다. 잭의 팀과 해리의 팀은 이 프로젝트의 문제점, 시너지, 효율성 등에 관해 오랫동안 이야기하면서 잭은 모든 면에서 자신과 해리가 같은 목표를 갖고 있다고 느꼈다.

중요한 디자인 회의를 준비하는 동안, 해리는 잭의 아이디어에 고개를 끄덕이고 미소를 보냈다. 잭은 그의 반응이 자신의 의견을 인정하고 용기를 북돋아 주는 제스처라고 생각했다. 모든 것이 희망적이었고, 잭은 자신의 안건을 행동으로 옮길 때 해리가 전심으로 자신을 지지해줄 것이라고 확신했다.

한 주가 지나, 잭과 해리 그리고 프로젝트와 관련된 디트로이트 팀원이 처음으로 함께 회의를 했다. 그 디자인 회의에서 해리는 그동안 잭이 알아 온 것과는 전혀 다른 행동을 했다. 잭의 아이디어는 회의에서 중요한 안건이었으며, 모든 사람에게 미리 브리핑 자료를 전달한 상태였다. 잭이 사람들에게 각자 부서로 돌아가서 그 아이디어를 어떻게 설명할지 질문했을 때, 해리는 가만히 앉아서 아무 말도 하지 않았다. 잭은 충격을 받았다. 그는 해리가 믿을 만한 사람이 아니며 거짓말쟁이일 수도 있다는 생각이 들었다. 잭은 매우 실망했다. 심지어 해리에게 기만당한 느낌이 들었고, 해리와의 대화를 완전히 단절했다.

그러나 해리는 잭을 배신하거나 속이지 않았다. 단지, 그가 잭을 공개적으로 지지하지 못하는 상황을 잭에게 말하지 못했다. 물론 해리는 잭에게 그 이유를 설명할 수 있었지만, 사실 사람들은 대부분 자신이 좋아하는 사람이나 자신에게 향한 기대가 큰 사람에게 실망감을 주는 대화에 능숙하지 않다. 잭은 해리의 심경이 복잡한 이유를 정확히 알지 못했다. 해리는 변화가 필요하다는 점에 공감했고, 자동차 디자인을 더 통합적이면서 더 많은 모듈로 구성해야 한다는 잭의 주장에는 공감했다. 그러나 해리가 잭과 같은 방향으로 나아가는 데 걸림돌이 있었다. 해리가 팀원들에게 기존의 업무 방식을 급진적으로 바꾸도록 요구할 경우, 수년간에 걸쳐 형성한 팀원들과의 유대 관계가 흔들릴 상황이었다. 잭의 제안서에는 이러한 변화가 전혀 고려되지 않았기 때문에 해리는 반대의 뜻을 취할 수밖에 없었다. 잭은 그동안 해리가 고개를 끄덕이고 웃어주는 것만 주목하면서 자신이 보고 싶은 것만 본 것이다. 하지만 잭은 자신이 제안한 접근 방식이 해리에게 문제가 될 소지가 없는지 해리에게 묻지 않았다.

이것을 개인적으로 받아들이고 움츠러들기보다는 잭은 해리와 함께 앉아서 "당신이 이 제안을 반대하는 충분한 이유가 있을 것입니다. 내가 무엇을 빠뜨렸나요?"라고 물었어야 했다.

반대자와 연결되어 있어라

미국인들이 이라크 참전에서 얻은 교훈은 사담 후세인이 거대한 협력자 그룹을 갖고 있었다는 것이다. 바그다드와 이라크 중부 지역에 거주하는 수니파는 수적으로는 소수였지만 정치적인 주도권을 가지고 있었다. 수니파는 후세인을 강력하게 지지했고, 시아파와 쿠르드족보다 우세한 위치를 유지하고 싶어 했다. 만약, 미국 행정부가 다양한 민족으로 구성된 이라크 사회의 이해관계를 이해했더라면 민족적, 종교적 요소를 고려하여 다양한 관계망을 구축할 수 있었을 것이고 이는 훨씬 더 효과적인 전략이었을 것이다.

하지만 미국 행정부는 이라크의 모든 민족이 미국의 도움으로 후세인의 폭정으로부터 자유를 얻기 바랄 것으로 생각했다. 이는 쿠르드족에게는 사실이었다. 그리고 시아파에도 어느 정도는 해당했지만, 그들은 미국의 헤게모니를 두려워한 탓에 미군을 향해 양면적인 태도를 보였다. 하지만, 수니파는 미군이 이라크로 진입했을 때 자유를 얻었다고 생각하지 않았다. 그들은 포위당했다고 생각했다. 대부분 수니파로 이루어진 이라크군은 미군이 들어오자 해체되어버렸다. 미국은 이라크의 치안 유지대를 처음부터 다시 구성해야 했다. 이로 인해 반란군은 조직을 재정비하는 시간을 충분히 확보할 수 있었다. 미국은 수많은 시간과 생명과 재정을 허비할 수밖에 없었다. 그 이후 반대파였던 수니파와 연결고리를 만들려는 미국의 노력이 어느 정도 성공해 변화가 시작됐고, 2007년과 2008년 이라크에는 어느 정도 안정이 찾아왔다. 반대파와 어떤 형태로는 연결되어 있어야 한다는 미군의 자각이 없었다면, 미군은 2007년에 어떤 일도 해내지 못했을 것이다.

반대자와 연결되는 것은 쉬운 일이 아니다. 이라크 반란군 지휘관들의 심경 변화를 처음으로 감지한 미군 장교들은 반란군 내부에서 자신들의 협력자를 얻을 이 기회를 잡고 싶었지만, 미군 장교들의 반대에 부딪혔다. 반란군과의 전투에서 자신의 부하 병사들을 잃은 미군 장교들은 반란군과의 협력을 반대했다. 부하 장병에 대한 충성심 때문이었다. 결국 새로운 동맹 관계를 시도하기 위해 장교들을 설득하고 변화시키는 데는 수개월의 노력이 추가로 필요했다.

2부 〈표2-3〉을 다시 보자. 당신의 시도에 가장 반대할 사람은 누구인가? 잠재적인 반대자는 당신과 완전히 다른 관점을 가졌고, 당신의 계획이 진행되면 가장 많은 것을 잃게 될 이해관계자다.

일단 반대자를 구별하게 되면 그들과 가까이 시간을 함께 보내며, 당신의 제안에 대한 그들의 의견을 물어보고, 그들의 현재 상황(특별히 당신과 다른 부분)을 자세히 들어보라. 또한 당신이 얼마나 많은 압력을 그들에게 가하고 있다고 느끼는지, 그리고 그들이 이 시도에 얼마나 필사적인 모습을 보이는지 관찰하라. 정기적으로 함께 커피를 마시고, 그들을 회의에 참석시키고, 당신의 제안에 그들의 관점이 중요하다는 것을 알게 하라.

물론, 반대자와 함께 시간을 보내는 것은 즐거운 일이 아니다. 최근 우리는 한 정부 기관 대표를 설득하느라 힘들었던 적이 있다. 우리는 그 대표에게 노동조합 간부들과 더 많은 시간을 보내야 한다고 설득했다. 조직이 직면한 어댑티브 챌린지를 해결해 나가려면 이런 노력이 필요하지만, 사실 거의 모든 사안에서 대표에게 반대를 표하는 노동조합 간부들과 시간을 보내기는 쉽지 않은 일이다. 그는 회의에서 노동조합 간부들에게 공격당하고 싶지 않았다. 하지만 만약 그가 노조를 설득하기 원한다면, 그리고 직면한 문제에 완전한 해결책을 바란다면, 아니 적어도 노조가 자기 일을 방해하지 않기를 원한다면, 그는 반드시 그들과 시간을 보내야만 한다.

실행안에 반대하는 사람은 변화에 위협을 느끼는 사람이다. 그들은 당신이 바라는 변화는 가능하지 않고, 일자리를 잃을 수 있고, 혹은 그 계획이 실행되면 어떤 방식으로든 상황이 나빠진다고 생각한다. 당신은 이들의 견해에 동의할 수도 있고 아닐 수도 있다. 이때 가장 중요한 것은 '그들이 당신의 계획을 어떻게 생각하느냐'다. 그들을 설득하려는 유혹에 넘어가지 마라. 그것은 헛수고일 뿐이다. 오히려 그들이 더욱 반대하고, 걸림돌로 작용할 수 있다는 것을 지나온 경험에서 배웠다. 대신에, 당신의 실행안이 그들의 관심사가 아니라는 사실을 받아들여라. 그리고 그들에 대한 연민과 공감을 가지고 반대자들의 잠재적 손실을 이해하라.

진정한 공감은 의미 있는 결과를 가져온다. 만약, 당신의 계획으로 인해 반대자들이 겪을 손실을 진정으로 이해한다면, 그들에게 책임감을 느껴야 한다. 당신의 입장에서 보면 당신이 어댑티브 챌린지를 만들어낸 것도 아니고, 당신은 그저 사람들과 함께 그 문제를 해결하는 것일 뿐이다. 당신이 일부러 사람들을 힘들게 하려는 것이 아니다. 변화로 인한 손실을 감수해야 하는 사람들의 상황을 공감하면, 무작정 당신의 관점을 밀어붙이지 않게 된다.

둘째, 이해관계자는 당신의 시도가 확실하길 기대하고, 자신들이 치러야 할 대가가 가치 없는 것이 아니라는 것을 당신이 확신시켜주길 기대한다. 이런 요구를 하는 반대자와 공감하다 보면 '내가 지금 옳은 것을 하고 있는가?'를 자문하게 될 수도 있다. 그렇게 자신의 계획과 목적을 의심하면 계획을 재검토하거나 포기하거나 협력자가 자신감을 잃게 만들 위험도 존재한다.

그렇다면 왜 반대자들과 시간을 보내야 하는가? 첫째, 당신은 결코 나쁜 사람으로 보이지 않을 것이다. 시간을 함께 보내면서 그들의 적대감을 덜어주고 당신의 노력에 반대하는 마음을 줄일 수 있다. 이런 이유로 마티는 고객사에게 적대적 성향의 라디오 프로그램에서 출연 요청을 받거나 적대적인 청중 앞에서 연설해 달라는 초청이 있으면 응하라고 조언한다. 반대자들과 함께해야 하는 또 다른 이유가 있다. 그들과 만남으로써 당신이 그들에게 희생을 요구하고 있음을 인정할 수 있고, 그 희생이 얼마나 어렵고 고통스러운지를 알 수 있다. 어떤 사람은 당신과의 만남만으로도 당신의 계획에 대한 적대감을 줄일 수 있고, 어떤 사람은 자기 뜻을 철회해서 당신의 지지자가 되기도 한다.

마지막으로, 그들과 함께 시간을 보내면 그들이 당신의 계획에 얼마나 큰 압력을 느끼는지 알게 되면서, 계획을 조정할 수도 있다. 예를 들어, 회사의 비용 절감을 위해, 직원의 의료 혜택을 줄이는 방안을 조합원 간부들과 논의한다고 해보자. 비공식적 대화 자리에서 그들을 만나보면, 그들의 몸짓과 무언의 신호를 읽을 수 있고, 직원에게는 의료 혜택을 유지하는 것이 다른 비용 절감 방안을 실행하는 것보다 얼마나 중요한 문제인지 파악할 수 있다. 이것은 공식적 대화에서는 얻을 수 없는 정보다.

포드 대통령 이야기

제럴드 포드Gerald Ford는 미국 대통령 재임 시절, 베트남 전쟁 반대 시위를 벌이고 구속됐던 사람의 일부를 사면할 계획을 세웠다. 그리고 그는 이 사면 계획을 설명하기 위해 재향군인회를 만나러 갔다. 그는 워터게이트 사건과 베트남 전쟁 때문에 미국 시민이 견뎌야 했던 감정적 상처를 이해하고 돌보기로 한 것이다. 그는 사면 계획을 반대할 가능성이 큰 사람에게 먼저 그의 계획을 전달하면 자신의 목적을 더 성공적으로 이룰 수 있다고 판단했다. 포드는 재향군인회 사람들이 보여준 용기를 높이 평가하고 그들의 희생정신을 인정했다. 또한 재향군인회원 중 베트남 전쟁을 반대하는 견해를 가진 가족과의 불화를 겪고 있는 사람들을 향해 연민을 보여줬다. 포드 대통령은 사면 계획을 전국적으로 발표하기 전에 재향군인회를 찾아가 자신의 계획을 먼저 이야기하면, 재향군인회 사람들의 반대 목소리가 훨씬 줄어들 것이라고 믿었다.

권위자를 관리하라

변화를 위한 어떤 시도를 할 때, 상사와 권위자authority의 역할은 매우 중요하다. 지속해서 그들의 지지를 얻기 위해서는 당신이 해결하고자 하는 변화 적응적 문제를 그들이 어떻게 생각하는지 아는 것 이상의 일을 해야 한다.

첫째, 조직에서 발생할 불안정 상태에 대비해 그들을 준비시켜야 한다. 둘째, 불안정 상태가 시작되면 조직이 그 상태를 어느 정도까지 참아낼 수 있는지 파악하기 위해 그들이 보내는 신호를 읽을 수 있어야 한다.

최고 경영자보다 한두 단계 아래에 있는 사람들과 일하면서 우리는 조직의 고위직에 있는 사람과 소통하는 방법을 익혔다. 우리는 실행안이 시행되면 조직 내부에서 발생할 수 있는 반대와 저항을 그들에게 일단 설명한다. 최악의 상황(혼란으로 인한 불만, 갈등, 심지어 프로그램의 첫날부터 우리를 해고하라는 주장)이 펼쳐지면 어떤 경험을 하게 될지 그들 스스로 예상할 수 있도록 한다. 이를 통해 그들은 동료가 겪게 될 일을 감정적으로 잘 이해하게 된다. 우리는 이런 정보에 대한 그들의 반응을 활용해 컨설팅 상황을 조율하고 조정한다.

권위자를 관리하면 어댑티브 리더십을 발휘할 때 여러 가지로 도움이 된다. 고위직에 있는 사람들은 낮은 직급의 사람들보다 더 큰 그림을 보고 있기 때문이다. 상장회사의 최고 경영자는 외부의 요구나 트랜드에 늘 신경을 써야 하지만, 직원 대부분은 주식 현황이나 언론 매체로부터 직접적인 압력을 받지는 않는다. 따라서 최고 경영자는 실행안으로부터 예상되는 외부 결과를 좀 더 잘 예측할 수 있다.

최고 경영자는 내부를 보는 폭넓은 시각도 가지고 있다. 조직 내 다양한 구성원들로부터 피드백과 압력을 받고 있기 때문이다. 그래서 그를 통해 조직 전체가 실행안에 어떻게 반응하는지 볼 수 있다. 최고 경영자와 소통하면, 조직 전체에서 실행안이 어떻게 진행되고 있는지 파악하는 데 도움이 된다. 그의 행동을 잘 살펴보면 여러 가지 신호를 읽을 수 있다.

권위자들이 사석 및 공석에서 당신을 어떻게 대하는지, 당신의 실행안에 대해 어떻게 말하는지, 자신의 정치적 힘을 어떻게 사용하는지 관찰하라. 이를 잘 살펴보면 최고 경영자가 실행안 때문에 받는 압력에 대해 많은 것을 파악할 수 있다. 이런 지식으로 무장한다면 단순히 처음 얻은 정보에만 의지할 때보다 조직의 온도를 더 잘 조절할 수 있다.

피해자를 책임져라

변화를 이끌어가다 보면 피해자casualty가 발생한다. 피해자란 변화로 인해 자신에게 소중한 무언가—익숙한 업무 방식, 일자리, 군대라면 생명까지—를 잃을 수 있는 사람을 말한다. 당신이 어댑티브 리더십을 발휘한다는 것은 변화로 인해 불가피하게 생긴 피해자를 책임지는 것을 의미한다.

다시 말해, 그들에게 주의를 집중해야 한다는 것이다. 그들과 함께 시간을 보내고, 그들에게 손실을 겪게 한 자신의 역할을 인정하고, 그들이 그 경험을 견딜 수 있도록 돕거나 다른 방식으로 생활을 이어갈 수 있도록 해야 한다. 피해자를 위해 책임을 다할 때, 실행안으로 인한 변화 때문에 자신이 위험에 처했음에도 불구하고 그들 중 일부는 그 상황에 잘 대처하거나 실행안을 지지할 수도 있다.

피해자와 관련된 사람들과 의사소통하는 것도 전략적으로 중요하다. 당신이 피해자를 배려하는 것을 보게 되면 사람들은 당신 자신과 당신의 시도를 더 긍정적으로 느낄 것이다. 피해자를 냉담하게 대한다면, 사람들은 당신을 지지하지 않아도 되는 좋은 명분을 가지게 된다. 마지막으로, 당신의 결정과 행동으로 인해 발생하는 결과에 당신이 책임질 각오가 되어 있다는 메시지를 사람들에게 전달하라. 이런 메시지는 조직 전체 구성원들의 책임감을 높여줄 것이다.

반대 의견을 보호하라

당신의 실행안뿐만 아니라 모든 안건에 반대 의견을 내는 사람이 존재한다. 그 사람들은 소위 반대론자, 회의론자다. 그들은 어둠의 왕자로 부정적 세계 속에 거하는 것이 익숙한 사람들이다. 하지만, 그들은 탄광 속의 카나리아 같다. 즉, 조직의 문제에 재빠르게 경고를 보내는 존재이기 때문에 적응적 변화를 이끌어가는 데 매우 중요하다. 하지만 그들은 그다지 생산적이지 못한 경우가 많고, 또한 사람들을 짜증 나게 하는 경우가 많다. 게다가 당신이 피하고 싶은 질문을 던지거나 사람들이 거론하기 불편해하는 핵심 질문을 제기하는 경향이 있다. 그래서 많은 조직에서 반대론자들은 내쳐지거나 침묵을 강요당하고 심지어 해고되기도 한다. 하지만 이는 조직 안에 중요한 기능을 잃는 것이다.

반대 의견을 어떻게 보호할 것인가? 당신이 의사결정자라면, 반대 의견이나 불편한 질문들이 조직에서 제기됐을 때 당신이 어떻게 반응하는지 사람들이 유심히 보고 있다는 것을 기억하라. 그들은 당신의 반응에 따라 자신들이 어떻게 행동해야 할지 결정할 것이다. 그러므로 겉으로 보기에 불순하고 변혁적인 아이디어에도 당신이 열려 있다는 것을 보여주는 것이 중요하다.

회의에서 누군가가 새로운 전략이 회사의 가치와 일치하지 않는다고 우려를 표현했다고 가정해보자. 이런 우려가 제기되고 논의되는 것을 허용하면, 그런 논의가 허용되지 않았을 때는 알 수 없던 다양한 관점을 발견하고, 조직 내 개인과 집단의 가치를 더 깊이 이해할 수 있다. 당신이 권한을 가진 리더가 아니라 하더라도, 반대 의견을 보호할 수 있다. 당신이 반대 의견을 진지하게 경청하고, 그들의 관점에 다 동의하지 않더라도 그 속에서 의미 있는 통찰을 발견하고자 노력함으로써 말이다. 비판자가 끝까지 이야기할 수 있도록 배려하는 문화를 만들고, 격렬한 토의에서도 배울 것이 있다는 인식을 조직 내부에 확산시켜라. 이를 통해 당신은 반대 의견을 보호할 수 있을 뿐 아니라 다른 다양한 의견들을 장려할 수 있다.

조직 내에서 소수 의견이 보호받는 몇 가지 방법을 소개한다.

- 당신의 실행안을 진행할 때, 반대 의견을 제시할 수 있는 분위기가 유지되도록 노력하라.
- 회의에서 공식적으로 1) 브레인스토밍을 하고 2) 혁신적 아이디어를 탐색하고 3) 민감하고 금기시되어온 '방 안의 코끼리'를 이야기하는 시간을 만들어보라.
- 잠재력 있는 신입 직원과 조직 내 정치적 관계를 잘 이해하고 있는 베테랑 직원이 함께 파트너가 되어 일하도록 하라.
- 조직에 가장 도움이 된 반대 의견에 연말 시상을 해라.
- 외부 세미나, 도시락 미팅, 직원 워크숍 등의 기회를 만들어,

평상시 역할에서 벗어나 자유롭게 토론할 수 있게 하라. 급진적인 생각도 표현할 수 있게 만들라.

- 회의가 끝난 후 잠시 남아라. 비공식적 대화를 촉진해 회의에서 꺼내기 어려웠던 생각을 이야기하도록 하고 그 대화를 경청하라.

- 익명으로 의견을 제출하게 하고, 거기서 나온 의견들을 직원 회의에서 공유하라.

현장에서 적용하기

Q1 조직의 변화를 이끌어가기 위한 당신의 실행안을 생각해 보라. 그리고 앞서 언급했던 다섯 그룹—협력자, 반대자, 권위자, 피해자, 반대론자—의 정치적 관계를 이해하고 행동하기 위해, 어떤 전략을 세워야 할지 생각하면서 〈표3-2〉를 작성하라.

변화를 이끌어가기 위해 당신이 시도하려는 실행안은 무엇인가?

〈표3-2〉 해석을 위한 마인드 셋

1. 협력자 ally			
어떤 사람이 당신의 협력자가 될 수 있는가?	왜 그들이 협력자가 될 수 있는가?	그들이 가장 중요하게 생각하는 목적은 무엇인가? 당신을 지지하는 것인가? 당신의 실행안에 대해서만 지지하는가? 당신이 속한 조직 자체를 지지하는가?	당신의 실행안을 진행할 때 이러한 협력자들은 어떻게 당신을 도울 수 있는가?

〈표3-2〉 해석을 위한 마인드 셋

2. 반대자 opponent			
어떤 사람이 당신의 반대자가 될 수 있는가?	왜 그들이 반대자가 될 수 있는가?	당신의 실행안이 성공할 경우 그들은 무엇을 잃게 되는가?	어떻게 하면 반대자를 당신의 편으로 만들거나 중립적인 태도를 취하게 할 수 있는가?

〈표3-2〉 해석을 위한 마인드 셋

3. 권위자 senior authority

당신의 실행안이 성공하기 위해서 가장 중요한 권위자는 누구인가?	그들은 왜 중요한가?	당신의 실행안을 조직에서 어떻게 받아들이는지에 관해 그들은 어떤 신호를 보내고 있는가?	당신의 실행안이 진행됐을 때, 그들이 당신을 지지하도록 하려면 무엇을 해야 하는가?

〈표3-2〉 해석을 위한 마인드 셋

4. 피해자 casualty		
당신의 실행안으로 피해를 보는 사람은 누구인가?	그들이 입을 손실은 무엇인가?	그들이 변화 가운데에서 생존하고, 새로운 조직에서 성공적으로 적응하기 위해서는 어떤 새로운 역량이 필요한가?
그들이 이런 역량을 습득하도록 당신은 어떻게 도울 수 있는가?	조직을 떠나야 하는 피해자는 누구인가?	이들이 다른 곳에 가서도 성공하게 하기 위해서 당신은 어떻게 그들을 도울 수 있는가?

〈표 3-2〉 해석을 위한 마인드 셋

5. 반대론자 dissenter			
조직에서 누가 반대론자 – 급진적인 생각을 표현하고 말하기 어려운 주제들을 말하는 사람 – 인가?	그들은 당신이 개입을 시도할 때 도움이 될 만한 어떤 의견들을 제시하는가?	그런 의견들이 논의되도록 하려면 어떻게 해야 하는가?	그들이 소외되거나 침묵하지 않도록 하기 위해서 어떻게 그들을 보호해야 하는가?

〈표3-2〉 해석을 위한 마인드 셋

3.4

갈등을 조율하라

Orchestrate Conflict

갈등 조율은 일종의 훈련이다. 갈등을 조율해나가는 것은 더 나은 미래를 만들기 위한 여정의 필수 단계다. 그래서 당신은 사람들이 서로 협력하지 못하는 순간을 인내하고, 서로가 힘든 상황 속에서 맞춰가는 과정을 통해, 결국 상대방에 대한 헌신과 협력이 견고하게 될 것을 믿어야 한다.

예를 들어보자. 우리는 한 고등학교와 함께 일한 적이 있었는데, 학교의 교사들은 졸업생 대다수를 대학에 진학시키기 원한다고 말했다. 그러나 실상은 적은 수의 학생만이 대학에 진학하고 있었다. 진학률을 높이기 위해서 수업일수를 연장하거나, 학업 성적이 낮은 학생들을 더 많이 유급시켜야 한다는 의견들이 제시됐으나, 교사들은 모든 의견에 반대의 뜻을 밝혔다. 교사들은 이미 과로와 박봉에 시달리고 있었고 규율을 관리하는 데에도 엄청난 시간을 소비하고 있었기 때문이다.

교장은 이상과 현실의 격차를 줄이기 위해 해결책이 필요했다. 그녀는 이러한 갈등을 수면 위로 드러내고, 교사 스스로 문제를 해결할 방법을 찾아야만 했다. 충돌하고 있는 가치를 드러내고 교사들이 직접 문제를 해결할 수 있도록 만드는 일은 신뢰와 용기와 훈련이 필요한 일이었다. 열띤 논쟁이 있었고, 심지어 서로 고함치고 분노를 터트리고 나서야, 교사들은 이상과 현실의 간극을 직시하게 됐다. 그들은 학생들의 대학 진학률을 높이고 싶었지만, 한편으로는 자신들의 태도를 고수하고 싶었다. 이 모든 과정에서 교장은 자신이 나서서 개입하는 대신 교사들이 이야기를 나누게 했다.

사람마다 갈등을 참아낼 수 있는 능력치가 다르다. 어떤 사람은 갈등이 힘들지 않다고 느끼지만, 대부분은 갈등을 피하고 싶어 하고 가능한 한 빨리 그 상황을 빠져나오려고 한다. 그러나 조직이 추구하는 바를 달성하기 위해서는 갈등은 반드시 수면 위로 드러나야 한다. 이를 위해서는 조직 내에 문제를 바라보는 다른 관점이 존재한다는 것을 인정해야 한다. 그리고 이런 관점의 차이가 조직이 추구하는 바를 실현하지 못하게 만들 수 있음을 깨달아야 한다. 비록 정확하게 설명하긴 어렵더라도 다양한 비전, 가치, 관점이 조직 내부에서 충돌하고 있다는 것을 인정해야 한다.

갈등을 조율하는 일은 절대 쉽지 않다. 갈등을 조율하려는 사람은 수많은 적대감을 참아내야 한다. 고조된 갈등을 한가운데에서 견디는 것은 매우 어려운 일이다. 이 때문에 많은 조직은 갈등 혹은 잠재적 갈등을 단순한 방식으로 대응해버리곤 하는데 이런 방식은 대부분 효과가 없다. 예를 들면 아래와 같은 방식이다.

조직이 갈등에 대응하는 일반적인 방식

- **아무것도 하지 않는다**

  이것은 가장 쉬운 대응법이다. 조직의 시스템은 안정을 깨뜨리지 않는 사람, 갈등을 드러내 일을 복잡하게 만들지 않는 사람에게 보상한다. 하지만 갈등을 해결하지 않은 채로 내버려 두면, 조직은 아무런 변화 없이 뒤처지게 된다.

- **갈등을 회피하거나, 서로 비난한다**

  위 고등학교 사례를 보자. 문제를 조용히 묻어두고 문제 해결을 위해 아무것도 하지 않으려 하는 일부 교사를 움직이게 하려고 교장은 고된 노력을 해야만 했다. 또한 교장은 책임감 없이 남을 비난하고 상대방의 말을 듣지도 않고 자기주장만을 하면서 진정한 해결책은 회피하고 있는 일부 교사들을 움직이기 위해서도 노력해야 했다.

- **권위자에 의존한다**

  조직원들은 갈등 해결을 위해 권위자를 의존하는 경향이 있다. 많은 경우 사람들은 권위자가 안정된 상태를 유지시키고 더 이상 변화를 만들지 않기를 기대한다. 만약 교장이 이 문제를 혼자서 해결할 수 있다고 판단해 강력한 권위로 문제를 해결하려 한다면 어떤 일이 벌어질까? 이전보다 더 많은 학생이 대학에 진학할 수 있을 수도 있지만, 이 성과는 교사보다 교장 자신의 행동과 선택 때문이라고 강조하면서 교장만이 해결자로 인식될 것이다.

우리는 갈등을 '조율한다orchestrate'는 표현을 사용했다. 이는 작곡가가 화음을 만들 때 불협화음dissonance과 협화음consonance을 모두 사용하여 조화를 이루는 것을 빗댄 표현이다. 작곡가는 하모니를 만들어 낼 때 불협화음도 필요한 요소로 생각한다. 음악에서 협화음만 사용하여 작곡하는 경우는 흔치 않다. 협화음만 사용하면 음악이 다소 지겨워질 수 있다. 불협화음은 음악에 긴장을 일으켜 음악을 듣는 사람이 극적인 결말을 기대하게 한다. 작곡가도 이런 메커니즘을 알기 때문에 서로 잘 어울리지 않는 두 개 이상의 불협화음을 의도적으로 곡에 배치한다. 그리고 불협화음으로 인해 긴장감이 고조됐을 때 협화음을 배치함으로써 결국 긴장을 해소한다. 작곡가에게 화음의 기술은 불협화음과 협화음을 창의적으로 엮음으로써 긴장, 진전, 해소를 만들어내는 능력이다. 긴장은 반복되며 곡이 완전히 끝날 무렵 해소된다.

조직과 공동체는 서로 다른 성질이 부딪히며 창의적 긴장과 해결을 반복하며 성장한다. 이런 긴장감이 잘 조율되기만 한다면 조직은 더욱 통합적으로 변한다. 서로 잘 맞지 않는 의견과 관점도 큰 맥락에서는 각자의 역할을 하고, 전체적인 그림으로 보면 매우 필수적인 요소로 작용한다. 차이점을 인정하고 큰 그림 안에서 함께 협력함으로써 새로운 통합, 새로운 실험, 새로운 역량을 만들 수 있다. 사람들은 자신만의 생각이나 유사한 관점이 아니라 서로 다른 관점을 통해 배운다.

변화 적응적 문제를 해결하기 위해서는 갈등을 제거하거나 중화할 것이 아니다. 갈등을 찾아내고, 드러내고, 숙성시키고, 해결을 위해 신중하게 다뤄야 한다. 조직이 조화롭다는 것은 새로운 해결책을 찾아내기 위해 갈등을 예술적으로 사용한다는 것을 의미한다. 갈등은 피상적인 조화가 아닌 진정한 조화를 이루기 위해 필수적인 자원이다.

'갈등 조율을 위한 7단계'는 변화 적응적 문제를 해결하기 위해 어떻게 갈등을 표면화하고 적절히 활용해야 하는지 보여준다. 이 7단계는 워크숍 또는 다양한 단기 실행안을 조직에서 구성할 때 활용할 수 있으며, 변화를 이끌어가기 위한 전략적 과정으로 사용할 수 있다.

갈등을 조율하기 위한 7단계

1. 준비하라

갈등을 드러내기 전에 사전 준비를 하라. 조직 내 각 분파의 주된 갈등 요소는 무엇인가? 그들이 가장 중요하게 생각하는 것은 무엇인가? 어떤 손실을 그들이 두려워하는가? 그들과 사전에 대화를 나누며 신뢰를 쌓으면 적절한 비공식적 권위가 생겨서 당신에게 어려운 순간이 닥쳐왔을 때 의미 있는 영향을 미칠 수 있다.

2. 기본 원칙을 세워라

갈등을 안전하게 논의하기 위해 원칙을 세워라. 예를 들어, 회의 내용의 비밀 유지, 핸드폰 또는 노트북 전원 끄기, 갈등을 개인적으로 받아들이지 않기, 브레인스토밍 등이다. 안건을 미리 정하라. 전체적인 목표 및 현재의 어댑티브 챌린지를 어떻게 이해할지 개념적인 구조를 마련하라. 해결해야 할 문제에 모두가 집중할 책임이 있다는 것을 인지시키라. 분위기를 부드럽게 하려면 다양한 실제 사례나 질문들을 사용해 비유로 설명할 수 있다.

3. 모든 사람의 의견을 들어보라

조직의 각 분파를 초대하여 어댑티브 챌린지와 관련된 그들의 가치, 충성심, 역량 등에 대해 들어보라. 그들은 자신의 지지자들에게 어떤 충성심을 가지고 있는가? 문제에 대한 그들의 관점은 무엇인가? 그들이 생각하는 타협이 불가능한 잠재적 손실은 무엇인가?

4. 갈등을 조율하라

상충하는 주장과 입장에 대해 확실하고 공정하게 이야기하라. 충돌하고 있는 가치가 얼마나 깊이 뿌리 박혀 있는지, 각 분파가 손실을 피하고자 얼마나 결사적인지 깨닫게 되면 긴장감은 높아질 것이다. 사람들이 조직 내부의 갈등을 회피하는 신호가 있는지 살펴보라. 서로의 차이를 축소하려 한다든가, 주제를 전환하려는 행동을 하면서 말이다. 당신 자신을 갈등 상황을 지휘하는 사람이라고 여기고, 사람들에게 그들의 사명을 상기시키라. 즉, 그들이 무엇을 위해 이러한 갈등을 이겨내야 하는지를 인식하게 하라.

5. 손실을 받아들이고 관리하도록 격려하라

각 사람 또는 분파가 받아들여야만 하는 손실은 무엇인지 충분히 생각해볼 기회를 제공하라. 어느 정도의 손실은 불가피하다는 사실을 인지시키고, 그러한 사실을 받아들일 수 있는 시간을 허락해라(몇 시간이 될 수도 있고, 몇 주일, 혹은 몇 달이 될 수도 있다). 각 분파에 속한 구성원들이 이 상황을 어떻게 받아들이고, 구성원들의 기대와 충성심을 어떻게 재조정할 것인지 생각하게 하라.

6. 실험하고 또 실험하라

조직 구성원들을 대상으로 하는 개별적인 실험을 실행하고, 어댑티브 챌린지를 해결하기 위한 복합적인 실험을 실행해보라. 어댑티브 챌린지를 해결하기 위해 여러 가지 실험을 차례로 할 것인지, 동시에 진행할 것인지 사람들의 동의를 구하라. 이러한 실험이 어느 정도 진행되어 학습과 통찰을 위한 자료가 충분히 만들어졌을 때, 지금까지의 실험을 사람들이 평가하도록 하라.

7. 동료 간 리더십 상담peer leadership consulting을 도입하라

변화를 위해 개인과 집단의 헌신을 끌어내는 일은 쉽지 않다. 이는 누가 어떤 손실을 떠맡을 것인지, 각 분파에 속한 구성원을 어떻게 설득할 것인지, 공동의 실험을 해나가기 위해서 각 분파는 어떻게 이 상황에 적응할지 결정해야 하기 때문이다. 이런 과정을 좀 더 성공적으로 진행하기 위해서는 각 그룹 구성원들이 서로 동료 상담을 해주는 것이 도움 된다. 이런 상담 과정을 통해 조직원들은 리더십을 발휘하고 고민하는 문제를 서로 논의할 수 있다. 자신이 속한 그룹 구성원들이 변화에 저항하고 있을 때, 어떻게 서로 도우며 저항의 원인을 분석할 수 있을까? 그리고 구성원의 저항을 고려해 이후의 실험과 실행을 어떻게 재조정할 수 있을까? 예를 들어, 실험의 속도를 조절하거나, 실험을 중단하거나, 프로젝트의 영역을 넘나드는 방식으로 진행해 조정할 수 있다. 의사결정권자는 일반적으로 리더로서의 고민을 공유하지 않는 경향이 있어서 처음에는 서로를 상담하라는 요청이 어려울 수 있다. 하지만 서로 상담해주는 과정을 통해 한 사람의 과제가 모두의 과제가 될 수 있으며, 책임감을 공유하는 조직이 될 수 있다.

갈등 조율을 위해서는 용기가 필요하다. 물론 각자의 상황에 따라 용기의 정도는 달라지겠지만 말이다. 어댑티브 리더십을 발휘할 때 사람들에게 나타나는 특성을 근거로 몇 가지 제안을 하려 한다.

- **갈등의 인내 폭을 넓혀라**

  갈등을 조율하기 위해서는 자신에게 익숙한 수준보다 훨씬 더 높은 수위의 갈등을 참아내야 한다.

- **적대적인 사람과 어울려라**

  당신에게 적대적이고 반감을 보인 분파와도 소통해야 한다. 그들과 소통할 때는 잘 이해되지 않더라도 그들이 사용하는 언어나 용어를 사용해 대화하라. 단, 이렇게 행동하면 당신의 측근, 당신을 따르는 사람들, 혹은 당신이 함께 일했던 사람들이 기분 나빠할 수도 있다("도대체 왜 그런 사람들과 함께 앉아 있나요?").

- **당신이 동의하지 않는 논리를 가진 사람들의 지지도 받아들여라**

  당신에게 적대적인 그룹도 한자리에 초대한다는 것은 당신이 싫어하거나 심지어 불쾌하게 여기는 논의들까지 발언할 수 있도록 허락하는 것이다. 어떤 그룹이 특정 활동에 참여하거나 어떤 행동을 함께하기로 한 이유와 동기는 다양할 수 있다. 물론 당신은 문제 해결을 기대하고 행동하는 것이지만, 그들이 당신에게 동참하는 이유는 자신들이 추구하는 바가 있기 때문일 수 있다.

- **의사소통 방식을 조정하라**

  갈등을 성공적으로 조율하기 위해서 당신의 의사소통 방식을 변화시켜야 할 수도 있다. 적대적인 사람들까지도 그런 변화를 통해 문제 해결에 동참하게 하는 것이 필요하다. 예를 들어, 사람들이 회의 도중에 뛰쳐나가지 않도록 하려면 당신이 실제로 느끼는 것 이상으로 사람들에게 자신감과 희망을 보여주어야 할지도 모른다. 혹은, 어색할지라도 위압적인 태도를 보이거나, 화가 난 것처럼 행동해야 할 수도 있다. 의사소통 방식이나 태도를 변화시키는 것이 뭔가 조작하는 것 같기도 하고 진정성이 없는 것처럼 느껴진다면, 무엇이 당신의 목적이었는지 먼저 생각해보라. 조직 내 각 그룹이 조직 안에 존재하는 갈등이 무엇인지 인식하고, 깊이 이해하고, 해결해나갈 수 있도록 하는 것이 당신의 목적이었음을 기억해야 한다.

안아주는 환경을 만들어라

안아주는 환경holding environment은 무엇일까? 안아주는 환경은 사람들 간의 다양한 유대 관계로 구성되는데, 그러한 유대 관계는 사람들을 하나로 묶고 공통의 목적에 집중하게 한다. 사람들 간의 긴밀한 유대 관계는 조직에서 발생하는 분열과 반목을 누그러뜨리고, 사람들이 편안하게 일할 수 있는 환경을 제공한다. 사실, 모든 집단은—가족처럼 작은 집단에서부터 글로벌 조직까지—구성원들이 협력적이고 생산적으로 일할 수 있는 '안아주는 환경'을 제공한다. 물론 조직에 따라 그 정도가 약할 수도 있고 강할 수도 있지만 말이다. 안아주는 환경은 압력솥에 비유해 설명할 수 있다. 압력솥을 사용해본 사람이라면 알겠지만, 재질과 잠금장치의 종류에 따라 압력솥 자체의 강도가 달라진다. 안아주는 환경도 그와 같이 조직마다 강도가 다르다.

안아주는 환경이란 개념은 인간의 첫 경험 중 하나인 '엄마에게 안기는 상황'을 묘사하기 위해 만들어졌다. 아기가 태어나면, 엄마는 팔로 아기를 안고서 젖을 먹이고 위험으로부터 보호한다. 엄마와 아기의 유대감은 아기가 태어난 순간부터 매우 강하다. 엄마는 아이가 토하고 쉼 없이 울고 자신을 밀쳐내도 계속해서 안아준다. 엄마가 지치면 다른 누군가가 아이를 잠시 안아준다. 때로 아이는 안아주는 환경이 매우 열악한 상황에서 자라기도 하고, 칭얼거리면 혼자 남겨질 때도 있다. 거의 모든 사회에는 그럴 때, 확대 가족에서부터 수양 가족, 입양, 사회 복지 기관, 사회 시스템에 이르기까지 안아주는 환경을 제공하는 지원 기관이 있다. 심지어 감옥도 개인에게 자신을 절제하고 책임감 있게 행동할 수 있는 마지막 기회를 주며 안아주는 환경을 제공한다.

조직에서 변화 적응적 과업을 수행할 때에는 안아주는 환경을 만들고, 그런 환경을 강화하는 것이 중요하다. 안아주는 환경은 사람들에게 안전함을 느끼게 하고 그들의 가치, 관점, 창의적 아이디어를 마음껏 드러내게 해, 어댑티브 챌린지에 잘 대응할 수 있게 만든다. 구성원들은 갈등 속에서 일하면 불쾌한 일들을 겪게 된다. 그럴 때 그들은 서로 떨어져 있으려 하고, 자신만의 공간으로 들어가 버리기도 한다.

안아주는 환경을 만들기 위한 요건은 국가, 조직, 민족 및 성별에 따라 다를 수 있다. 갈등을 드러내는 데 익숙한 뉴요커에게 필요한 안아주는 환경과 예의를 중시하는 일본인을 위한 안아주는 환경은 다를 것이다. 하지만 어떤 문화에서든 유대감을 강화하고 갈등을 상쇄하는 공통된 요소가 있다.

- 공통된 언어
- 공유하는 가치와 목적
- 함께 일해온 역사
- 동료와의 애정, 신뢰 및 우정
- 권위자나 상사에 대한 신뢰
- 편안한 의자, 둥근 탁자, 비밀 유지 규칙, 편하게 생각을 이야기 할 수 있는 브레인스토밍 방식 등 다양한 업무 환경

강력하게 안아주는 환경이 어떤 요소로 구성되는지 좀 더 자세히 설명하기 위해서 워크숍을 예로 들어보자.

워크숍의 목적은 사무실을 벗어나 다른 장소로 가서 새로운 관점을 얻고, 평소에는 다루지 못했던 문제들에 집중하는 것이다. 한편 워크숍은 종종 갈등을 해결하기 위해서도 사용된다. 이렇게 안아주는 환경을 만들려는 것은 일상적인 업무 환경에서는 조성하기 어려운 신뢰감과 열린 대화를 촉진하기 위해서다.

워크숍을 기획할 때 고려해야 할 일의 대부분은 다른 행사에서 고려해야 할 것과 유사하다. 장소를 선정하고, 행정적으로 지원하고, 발표하는 규칙을 만들고, 논의 내용의 비밀 유지 규칙을 정하고, 시작할 때 분위기를 파악하고, 워크숍에서 정해진 결정 사항을 어떻게 실행할지 책임을 정하는 것 등이 필요하다. 한편, 변화 적응적 과제와 관련해 진행하는 워크숍에서는 특히 다음과 같은 몇 가지 사항들을 적용해보길 바란다.

워크숍 전

- 임원senior authority에게 평소와 다른 역할을 준비시켜라. 워크숍 참석자들은 얼마나 진지한 워크숍인지 파악하기 위해 모든 시선을 임원에게 둔다. 회의가 시작됐음에도 임원이 전화를 받으러 밖으로 나가는가? 다른 사람이 말하는 동안 졸고 있

는가? 만약 임원이 워크숍 동안 계속해서 업무 지시와 전화 응대를 한다면, 그들은 여전히 사무실에 있다고 느낄 것이다. 그들은 말하기를 중단하고 상사의 말만 기다릴 것이다. 워크숍 전에 임원을 미리 교육해 앞서 말한 행동이나 대화를 가로막는 행동을 자제하도록 코치하라.

- 사전 인터뷰를 통해 숨겨져 있는 관점과 갈등이 무엇인지 파악하라. 참석자 모두 혹은 일부와 사전 일대일 인터뷰를 통해 워크숍에서 다뤄야 할 문제가 무엇인지 질문해보라. 그들은 이 문제를 얼마나 중요하게 생각하는가(만약 그들이 문제에 동의하지 않거나 문제를 중요하게 생각하지 않는다면, 그것 자체가 그 그룹의 문제다)? 그들이 워크숍에 기대하는 바는 무엇인가? 그들이 워크숍에서 간과될 것이라고 걱정하는 중요한 문제는 무엇인가? 그들에게 성공적인 워크숍은 어떤 모습일까?

워크숍 중

- 새로운 프로세스를 고안하라. 워크숍은 평소 업무에서 생산하는 결과물과 다른 결과물을 생산하는 시간이다. 사무실에서 근무할 때, 사람들은 매우 구체적인 결과물(영업 계획

서, 전략 기획서, 보고서 등)을 생산한다. 하지만 워크숍에서는 다소 추상적인 결과물(예를 들면 갈등 해결)을 만들어내는 것이 중요하며, 이를 위해서는 기존과는 다른 방식이 필요하다. 새로운 규칙은 워크숍이 사무실에서 평소 하는 일과는 완전히 다른 목적이 있음을 보여준다. 예를 들어, 평상시에 사람들이 서로 존칭을 사용한다면 워크숍에서는 별명으로 부르게 할 수 있다. 혼자서 그리고 다 함께 성찰하는 시간을 가져보라. 변화 적응적 과제는 기술적 과제보다 더 복잡하다는 것을 이해시켜라. 갈등도 허용하라. 논의가 다소 격렬해져도 계속 토의에 참여하도록 요청하라. 사람들이 평상시와 유사한 역할을 해야 하는 상황을 피하고자 외부 퍼실리테이터를 참여시킬 수도 있고, 참가자 중에서 진행자를 교대로 맡을 수도 있다.

- 워크숍 초반부를 관찰하라. 워크숍이 시작될 때 무슨 일이 일어나는지 관찰하라. 농담, 편안한 이야기, 정보를 요청하는 질문 등 참석자들의 분위기를 파악하는 데 도움이 되는 신호를 어떤 것이든 유심히 관찰하고, 그 공간에서 계속해서 화두가 되는 문제가 무엇인지 파악해보라. 만약 임원이 회의를 주도하지 않는 상황에 대해 누군가 농담을 한다면, 그것

은 누군가가 상사와의 관계에 문제가 있다는 것을 알려주는 것일 수도 있다. 또한 워크숍에서 논쟁이 격렬해져도 상사가 개입하거나 통제하지 않는다면 그들은 매우 놀랄 수도 있다.

참석자를 선택하라

불을 붙이기 전에 냄비 속에 넣을 재료를 선택하는 것처럼, 조직 내 갈등 및 해결해야 할 문제와 관련해 대화에 참여할 사람을 신중하게 선택해야 한다.

어떤 그룹을 대화에 참석시킬지 결정하는 것은 매우 전략적인 일이다. 회의에서 누가 어떤 역할을 해야 하는가? 발제는 어떤 순서로 진행해야 하는가? 너무 많은 그룹을 포함하면 서로 적응하고 학습하는 것이 어려울 수 있다. 하지만 참석자 구성이 포괄적이지 않으면, 불완전한 해결책을 제시할 수도 있고 문제를 잘못 짚을 수도 있다. 혹은, 지속 가능한 변화를 만들어낼 수 있는 그룹을 배제할 수도 있다. 만약 당신이 소수의 그룹만 포함하기로 했다면, 놓치기 쉬운 관점이 없는지 계속 확인해야 한다. 참석자를 선택할 때 다음과 같은 질문들을 고려하라.

- 이 문제를 해결하기 위해서는 누가 무엇을 학습해야 하는가?
- 조직 전체가 변화에 적응해가기 위해서, 반드시 변화해야 하는 조직 내부의 그룹이 골고루 초대됐는가?
- 조직 내 특정한 그룹이 가진 관점이 다른 이들에게 너무 강한 스트레스를 주고 있어서 그 그룹이 참여한다면 전체가 연합을 이루는 데 방해되거나 충돌을 야기하는 그룹이 존재하는가?
- 중장기적으로는 그 존재가 중요하지만, 단기적으로는 그렇지 않아서 초기에는 배제될 수 있는 그룹이 있는가?

참석자를 선택하는 것은 결코 쉬운 과정이 아니다. 회의의 효율성이나 질서를 위해, 당신은 참석자 수를 최소화하고 싶은 마음이 들 수 있다. 하지만 적응적 변화를 만들어가기 위해 초대해야 하는 대상의 범위를 더 넓혀야 한다. 정치적 관계에 대해서도 고려해야 한다. 누가 포함되어야 하고 누가 포함되지 말아야 할지, 수많은 해석과 의견이 제시될 수 있다. 즉시 해결해야 할 갈등이 존재할 때는, 적시성을 고려해서 적은 수의 이해관계자를 선택하는 것이 좋다. 하지만 조직이 직면한 갈등이 어댑티브 챌린지와 연관된 경우, 논의에 포함되어야 하는 대상에 대한 정의는 더 넓

어져야 한다. 그러나, 더 많은 사람이 참여할수록 그들 중 일부가 특정 주제에 지나치게 몰입할 가능성이 커지고, 참가자 개인의 안건이 대화를 점령할 가능성도 커진다. 누군가 완강한 태도를 보이고, 지나치게 공격적으로 옹호하는 자세를 취하며, 사적인 관점과 이익을 추구하면 다른 참여자들은 단절되고, 그들과의 대화를 중단하고 심지어는 회의에서 나가버릴 수도 있다. 물론 이 모든 것은 조직 내에 존재하는 깊은 갈등을 인식하는 데 유용한 정보가 될 수 있긴 하지만, 그들과 다시 일하는 것이 힘들어질 수도 있다.

누구를 포함하고 누구를 배제할지 결정할 때, 그에 따른 혜택과 비용은 유동적이다. 전략적으로 언제 어떤 그룹을 포함할지를 잘 배치함으로써 변화 과업이 잘 진행되도록 해야 한다. 다양한 사람을 좀 더 포함하려고 노력하는 것은 장기적으로 변화 적응력을 높이는 데 도움이 된다. 사람들이 같은 목적으로 묶여 있을 때, 서로를 존중하고 어려움을 같이 해결하면서 강한 유대 관계를 형성하기 때문에 향후 벌어질 수 있는 위기 상황에서 더 많은 선택의 기회를 가질 수 있다. 더 많은 사람을 포함하는 것은 조직이 직면한 변화 과업을 성취하는 수단이자 미래의 기반을 다지는 의미 있는 방식이 될 수 있다.

온도를 조절하라

인간은 온도에 민감하다. 집이 춥게 느껴지면 스웨터를 입고, 너무 덥게 느껴지면 에어컨을 켠다. 또 운동 후에는 땀을 식히기 위해 시원한 음료를 마신다.

마찬가지로 사람들은 조직 생활에서 '온도'를 식히기 위해 여러 단계의 행동을 취한다. 짜증이 난 동료를 달래기 위해 말을 차분하게 하기도 하고, 동료가 흥분할 만한 주제나 다른 사람이 보지 않았으면 하는 민감한 문제는 회의실이 아닌 다른 장소로 가서 이야기하기도 한다. 이런 기술은 특정 상황에서는 유용할 수 있지만, 적응적 변화와 관련된 갈등을 풀어나가는 데는 유용하지 않다. 이런 기술은 현재 상태를 유지하는 데 목적이 있기 때문이다.

갈등을 효율적으로 조율하기 위해서는 당신이 온도계를 가지고 있다고 생각하고, 조직의 신호를 유심히 살피며 방 안의 온도를 올려야 할지 내려야 할지 결정해야 한다. 당신은 적절하게 온도를 조절해야 한다. 다시 말하면 갈등으로 인해 발생한 조직의 불안정성이 너무 높거나 낮지 않은, 사람들이 문제 해결책에 창의적으로 대처할 수 있는 온도로 조절해야 한다. 이때 온도는 사람들이 문제를 회피하거나 기능을 수행할 수 없을 정도로 높지는 않아야 한다.

생산적인 온도의 범위는 조직 내 그룹들의 결속력이 얼마나 강한지, 그리고 변화 적응적 과업에 얼마나 익숙한지에 따라 다를 것이다. 역사나 가치를 공유하고 있고 결속력이 강한 그룹은 서로 다른 부서의 구성원들로 구성되어 있고 역사가 짧은 그룹보다 훨씬 더 높은 온도에도 해체되지 않고 견딜 수 있다. 함께 일한 경험이 전혀 없고 혹은 깊이 상충하는 이해관계 때문에 결속력이 약한 그룹은 온도가 높아지면 쉽게 해체될 것이다. 〈표3-3〉은 조직이나 공동체의 온도를 높이거나 낮출 때 취할 수 있는 행동이다.

온도를 높이려면	온도를 낮추려면
· 어려운 질문을 던져 주의를 집중시켜라.	· 가장 분명하게 설명할 수 있고 기술적 해결책이 존재하는 갈등에 관해 설명하라.
· 사람들에게 더 많은 책임감을 부여해 자신의 안전지대에서 한발 더 나아가도록 유도하라.	· 문제를 쪼개어 구조를 설명하고, 해결에 필요한 기간, 의사결정 규칙, 역할 배정을 구조화하라.
· 갈등을 수면으로 드러내라.	· 어려운 과제에 대해 일시적으로 책임을 부여하라.
· 갈등을 일으키는 발언을 허용하라.	· 휴식 시간, 농담 및 대화 나누기, 운동하기 같은 형태의 과업 회피 방식을 활용하라.
· 그룹이 직면한 문제를 설명할 때, 현재 조직원들에게 나타나는 행동과 패턴을 예시로 사용하라. 예) 권위자에게 의존하기 개인을 희생양으로 삼는 것 외부의 탓으로 돌리는 것 기술적 해결책으로 문제를 해결하려는 것	· 조직의 기준과 기대를 너무 급하게 변화시키려 하지 마라.

〈표3-3〉 온도 조절하기

발코니에서 바라보기

Q1 온도를 측정하는 능력을 키워라. 다음번 회의에서는 뒤로 물러나 회의실 온도를 재어보라. 참석자의 발언이 끝날 때마다 온도가 올라가는지 내려가는지 관찰하라. 조직 내 그룹이 생산적 불안정 구역 대략 어디에 위치하는지 살펴보라. 언제 생산적 불균형 구역 아래에 위치하고, 언제 중간에 위치하는지 혹은 언제 한계점에 다다르는지 알아보라.

현장에서 적용하기

Q1 그룹이 갈등을 해결하기보다는 편안한 상황을 위해 온도를 낮추려고 할 때, 그런 행동을 언급하라. 예를 들어 "어려운 과제를 피하려고 하는 것처럼 보여요. 조금 더 이야기해볼 수 있을까요?"라고 말해보라. 그리고 회피하려는 문제를 지적하라. "지난주에 우리가 왜 고객을 놓쳤는지, 그리고 사람들이 이 일을 어떻게 생각하는지 논의해야 할 것 같아요" "저는 우리가 지난주 톰에게 일어난 일을 회피

하고 있다고 생각합니다. 그 일에 대해, 그리고 그것이 우리에게 무엇을 의미하는지 논의해야 하지 않을까요?" "자말과 메리가 지난주 회의에서 다툰 이후 서로 말을 안 하고 있습니다. 팀으로서 우리는 원인이 무엇인지 이해하고 어떻게 할지 생각해봐야 할 것 같아요."

Q2 임원이 발언하거나 의사결정을 한 후 온도가 어떻게 되는지 관찰하라. 그 임원이 조직의 온도를 높이려는 의지와 역량이 있는지 파악하라. 그 온도는 편안하게 유지되는가? 아니면 걱정스러울 정도로 높은가?

과업을 돌려줘라

권위자가 갈등을 조율할 때 가장 어려운 점 중 하나는 변화 적응적 과업의 짐을 사람들의 어깨에서 자신의 어깨로 가져오려는 유혹에 맞서는 것이다. 리더로서 구성원들의 짐을 덜어주어야 한다는 압박감은 그들과 당신 모두에게서 존재한다. 일반적으로 사람들은 문제를 기꺼이 떠맡고 해결함으로써 승진을 하고, 상사나 부하직원 모두 그런 방식을 계속 기대하고 선호한다. 즉, 그들은 당신이 갈등을 '해결'해주는 사람이 되길 기대한다.

조직 생활에서 과업을 돌려주려면, 당신을 향한 사람들의 기대에 반(反)하는 행동을 취해야 할 수도 있다. 사람들은 당신이 안정을 유지시킬 것이며, 조직 내 균형이 깨졌을 때 빠르게 회복시킬 것이라고 기대하는 경향이 있다. 특히 당신이 의사결정자라면 사람들은 당신이 개인의 역할과 책임을 상세하게 알려주고, 방향을 제시하고, 자신들을 보호해주고, 질서를 유지해주기 바란다. 당신이 더 분명하게 무언가를 제시할수록, 사람들은 더욱 편안해한다. 당신이 관습적으로 그들을 위해 해 오던 일을 되돌려 주는 것을 그들은 바라지 않는다. 하지만 조직의 변화 역량을 키우기 위해서는 그들을 안전지대에서 벗어나게 해야 한다.

과업 돌려주기 : : 대표의 발표 실력

우리는 뉴욕에서 빠르게 성장하고 있는 한 광고 회사와 일하고 있었다. 그 회사 창립자이자 대표는 발표를 뛰어나게 잘해서 그가 고객과의 미팅에 참석할 경우, 직원 누구도 발표하려고 하지 않았다. 대표는 자신의 능력 때문에 직원들이 고객 앞에서 발표하는 것을 불편하고 어렵게 여김으로써 결국은 회사 성장에 방해가 된다는 것을 깨달았다. 직원들에게 발표를 억지로 강요하면, 고객들이 그들의 발표에 만족하지 않을 확률이 높고, 결국 자신이 개입할 수밖에 없다는 것을 알았다. 이는 고객과 직원들의 자신감을 모두 잃게 하는 것이었다. 그는 먼저 '자신이 더는 직원들의 발표를 대신 하지 않을 것'이라고 선언함으로써 긴장을 높였다. 둘째, 그는 직원들에게 안아주는 환경을 마련해주기 위해 스피킹 전문 컨설턴트를 고용해 고객 대상 발표와 관련된 워크숍을 이틀 동안 진행했다. 마지막으로, 그는 고객과의 미팅에서 더는 나서지 않고 뒤로 물러서 있기로 했다.

대표는 직원들이 새로운 책임을 갖고 역량을 키울 수 있도록 속도를 맞췄다. 이 변화는 약 1년 정도 걸렸다. 처음에는 일부 고객사를 포함해서 거의 모든 사람이 반대했다. 그는 직원들이 발표 도중 자신의 도움을 요청할 때를 알았지만 끼어들기보다 가만히 있으려 노력했다. 직원들은 점차 스스로 발표를 이끌어갈 수 있었고, 대표는 자신만이 할 수 있는 일에 몰두하게 됐다.

발코니에서 바라보기

Q1 지난 몇 주간을 되돌아보라. 다른 사람들이 감당해야 할 변화 적응적 과업을 당신이 떠맡은 적이 있는가? 그들은 부하직원이었는가? 동료였는가? 또는 상사였는가?
그렇게 함으로써 나타난 부정적 결과는 무엇이었는가? 어떻게 하면 다르게 행동할 수 있었을까? 그들에게 과업을 돌려주기 위해 당신은 어떤 단계를 밟았어야 했는가?

현장에서 적용하기

Q1 다음 회의에서 사람들이 변화 적응적 과업을 당신에게 넘겨주려고 하면, '앉아 있기'라고 부르는 것을 시도해보라. 화이트보드나 강대상 옆쪽, 혹은 회의실 뒤쪽으로 가서 앉아라. 당신이 나서지 않는 것에 대해 사람들이 어떻게 반응하는지 살펴보라.

회의를 떠나는 사람들이 있는가? 나서는 사람들이 있는가? 참석자들은 조금 더 친한 사람들과 이야기하기 편한 그룹을 만들어 대화하는가? 논의에 대한 책임을 지는 사람이 없이도 질서를 잡기 위해 애쓰는가?

한동안 관찰한 후에 왜 당신이 나서지 않았는지 설명하라. 그리고 사람들이 의사결정자에게 의존하고 그가 모든 문제를 해결하기를 기대할 경우 그로 인해 발생하는 문제를 주제로 토론하라.

3.5

변화 적응 역량을 높이는 조직 문화를 만들어라

Build an Adaptive Culture

변화 적응적 조직 문화adaptive culture는 새로운 도전이 끊임없이 쏟아지는 미래에 당신의 조직이 일련의 변화를 감당할 수 있게 만든다. 변화 적응 역량을 키우는 것이 중장기 작업이라 할지라도, 그것은 일상 속에서 그 작업에 충실할 때에만 비로소 가능하다. 실제로, 당신이 직면한 모든 도전은 즉각적인 문제 해결 작업인 동시에, 앞으로 일어날 일에 대응하는 기준이 될 운영 방식을 도입하는 또 다른 기회이기도 하다.

앞서 7장에서 전 세계 곳곳의 다양한 조직과 함께 일한 경험을 바탕으로 변화 적응 역량이 높은 조직의 다섯 가지 특징에 대해 살펴봤다.

- 방 안의 코끼리를 이야기한다.
- 조직의 미래에 대한 책임을 공유한다.
- 독립적으로 판단하는 것을 가치 있게 여긴다.
- 리더십 역량이 개발된다.
- 성찰과 지속적인 학습이 구조화되어 있다.

7장에서 현재 당신의 조직이 이 다섯 가지 항목에 얼마나 잘 준비되어 있는지 평가했다. 이번 장에서는 각각의 항목에 대한 당신의 평가 점수를 개선할 방법을 살펴볼 것이다.

방 안의 코끼리를 이야기하는 규칙을 만들라

아무도 언급하지 않는 까다로운 문제, 방 안의 코끼리에 관해 이야기하는 것은 탁월한 변화 적응 역량을 가진 조직의 일반적이면서도 뚜렷한 특징이다. 앞서 언급했듯이 도요타에서는 생산 라인에 있는 누구라도 생산 공정에 대해 비판하고 개선점을 제시할 수 있다. 비판적 사고가 일반화되어 있는 도요타에서는 이런 대화에 특별한 용기가 필요하지 않지만, 다른 회사들은 그렇지 않다. 까다로운 문제를 거론하는 것은 어떤 조직에서도 쉽지 않다. 다음에서 살펴볼 '합병이라는 코끼리 무시하기'가 그 예다.

합병이라는 코끼리 무시하기ignoring the merger elephant

몇 년 전, 우리는 비슷한 규모지만 매우 다른 회사와 대규모 합병을 이룬 지 약 1년 정도 된 남미의 글로벌 에너지 회사와 이야기를 나눈 적이 있다. 최고 경영진과 미팅은 약 두 시간 동안 이어졌고 마지막 한 시간 동안은 최고 경영자가 합석했다.

처음 한 시간 동안, 경영진 중 두 명이 합병으로 인해 생긴 문화적 충돌 때문에 회사의 발전이 얼마나 방해받고 있는지 공개적이고도 강도 높게 이야기를 했다. 나머지 경영진도 문화적 차이가 심각한 문제를 일으킨다는 점에 동의했다. 그러고 나서 최고 경영자가 들어왔다. 우리는 그에게 합병에 대한 견해를 물었다. 그는 어떤 문제도 남아 있지 않다고 대답했다. 우리는 사람들을 둘러봤는데 모두 머리를 숙이고 있었다. 가장 열성적으로 발언했던 두 사람에게 최고 경영자의 발언에 덧붙일 것이 있는지 물었지만 조용했다. 몇 주가 지난 뒤, 우리는 제안서에 이 이야기를 자세히 설명하기로 했고 그에 대한 저항은 엄청났다.

방 안의 코끼리에 관해 이야기할 수 있는 조직 역량을 강화하기 위해서는 무엇이 필요할까? 여기 몇 가지 방법이 있다.

행동을 통해 모범을 보여라

조직에서 높은 자리에 있는 사람들은 종종 직원들에게 어떤 행동이 적절한 행동인지 힌트를 보내곤 하는데, 방 안의 코끼리를 언급하는 것보다 더 결정적인 것은 없다.

얼마 전 우리는 한 글로벌 은행을 컨설팅했다. 회사의 최고 경영진 열 명과 함께한 초기 미팅에서 참석자 중 가장 나이가 어린 직원이 최고참 직원 중 한 명이 진행한 프로젝트에 대해 간단하게 언급했다. 우리가 주의 깊게 사전 인터뷰를 진행하였음에도 불구하고 이 프로젝트는 언급된 적이 없었다. 다음날 회의에서 또 다른 직원이 그 프로젝트에 대해 다시 언급했고, 우리는 이 프로젝트가 매우 거대한 코끼리임을 알게 됐다. 많은 사람이 회사의 미래를 위해 투자되어야 할 중요한 자원이 프로젝트에 위험한 수준으로 소진됐다고 생각했다. 더욱이 프로젝트 투자자를 포함한 모두가 그 프로젝트의 성공 가능성이 적다는 것을 알고 있었다. 그 프로젝트를 통해 얻을 수 있는 성과가 그다지 크지 않다는 점에서 완전히 실패라고까지 언급되기도 했다.

하지만 프로젝트 투자자는 차기 최고 경영자 후보로서 이런 갈등을 매우 꺼렸고 그 프로젝트가 잘 진행될 것이라고 믿고 싶어 했다. 최고 경영자에게 그 프로젝트에 대해 논의하고 싶다는 의사 표시를 하지 않는 한 아무도 그 코끼리를 언급하지 않았다. 어린 시절, 우리는 권위자들을 보면서 어떻게 행동해야 하는지에 대한 힌트를 얻었다. 그러므로, 만약 당신이 의사결정자라면, 수면 아래 끓고 있는 민감한 문제를 언급하는 간단한 행동으로 모범을 보여야 한다. 그렇지 않으면 아무도 말하지 않을 가능성이 커진다.

문제를 일으키는 사람을 보호하라

우리가 함께 일했던 거의 모든 조직에는 우리가 반대자라고 부르는 '어려운' 사람, 즉 문제를 일으키는 사람들이 있었다. 그들은 반대 의견을 가진 사람들로서 일이 한쪽으로 향할 때 종종 완전히 다른 견해 또는 관점을 거론한다. 그들은 비실용적이거나 비현실적으로 보이는 생각을 말하고, 다른 사람들이 보기에 주제에서 벗어난 제안을 하거나 상관없는 질문을 한다. 사람들 대부분이 그날 회의에서 다뤄져야 하는 문제를 논의할 때, 그들은 자신들의 도덕적 우월성을 주장하려고 한다. 하지만 그들은 당연히 해야 할 질문 혹은 누구도 말하고 싶지 않은 문제를 제기하는 유일한 사람이기도 하다. 여기서 당신이 해야 할 일은, 끼어들고 의견을 내려는 그들의 의지를 보호해주는 것이다.

이것은 쉽지 않다. 당신이 의사결정자라면 분명 문제를 일으키는 사람을 조용히 시켜야 한다는 부담감이 있을 것이다. 하지만 당신에게 환영받지 못하는 의견이라도 경청해야 한다는 생각이 있다면, 이런 부담감에 저항해야 한다. 의사결정자가 아니라면, 문제를 일으키는 사람을 회의에 초대함으로써 그들을 보호할 수 있다. 그들이 불안정 상태를 초래하는 발언을 한다면, 당신은 그것에 대해 궁금증을 표현할 수도 있다. 즉, 그들의 의견이 무시당하도록 놓아두기보다는 그들에게 더 자세히 설명해달라고 요청하는 것이다.

조직의 책임을 공유하도록 장려하라

사람들은 자신이 소속된 부서 외에 조직 전체에 대해서 어느 정도 책임감을 느끼고 있을까? 사람들이 조직 전체에 대한 책임감을 공유하고 있다는 것을 알려주는 몇 가지 신호가 있다.

- 보상(금전적 또는 다른 형태)은 조직 전체의 성과에 따른 것이지 개인이나 부서의 성과만으로 결정되지 않는다
- 자신의 자원(인력, 시간, 예산, 시설, 사무실 공간 등)을 필요로 하는 다른 조직 구성원들과 나눈다
- 부서 및 전문 분야에 구애받지 않고 새로운 생각, 통찰력, 배운 것을 공유한다
- 조직의 여러 부서에서 일하며 경력을 쌓은 개인이 높은 자리로 승진한다
- 다른 부서 사람들의 일과는 어떤지, 무슨 문제를 해결해야 하는지, 자신의 영역에서 그들을 도울 방법은 무엇인지 알기 위해 '직무 관찰job shadowing'의 시간을 가진다.

독립적으로 판단하는 것을 가치 있게 여겨라

변화 적응적 문화를 가진 조직에서 의사결정권자는 자신이 할 수 있는 일과 결정만 한다. 다른 일과 결정은 그것을 할 수 있는 사람에게 넘긴다. 의사결정권자는 지금 하려는 일이나 결정을 다른 사람이 할 수 있는지를 계속해서 묻고, 만약 그렇다면 어떻게 그 사람에게 위임할 수 있는지 묻는다. 이것은 하기 싫은 자질구레한 일을 부하직원에게 넘기는 것이 아니다. 이것은 사람들이 가진 기술적인 전문성을 포함해, 그들의 독립적인 판단력과 풍부한 기량에 투자하는 것이다.

의사결정권을 가진 사람 대부분은 부하직원이 자신에게 의존하도록 만든다. 부하직원이 의존적일수록 의사결정권자는 더욱더 없어서는 안 될 존재가 된다. 어댑티브 리더십을 발휘할 때 우리의 임무는 자신을 불필요한 존재로 만드는 것이다. 이를 위한 유일한 방법은 사람들에게 꾸준히 과업을 돌려주어 그들의 역량을 키우고, 비판적 사고와 현명한 의사결정 능력과 잠재력을 조정하는 것이다. 단기적으로는 좋을 수 있지만, 자신의 추종자를 원해서는 안 된다. 조직의 모든 사람이 각자의 자리에서 변화 적응적 과업을 실천할 기회를 얻도록 리더십을 배분해야 한다. 즉, 어댑티브 리더십은 사람들이 주어진 업무를 넘어서서 더 큰 일을 하도록 리더십을 발휘하는 것이다. 우리는 모든 해답이 의사결정권자에게 있지 않고, 쉬운 해결책이 항상 맞는 것은 아니라는 것을 깨달을 때 오는 불확실성을 조직이 받아들일 수 있도록 준비시켜야 한다. 독립적인 판단을 장려하는 조직에서는 결정을 내리기 전에 "윗사람이 무엇을 원하는가?"가 아니라 "조직의 사명을 이루기 위해 옳은 것은 무엇인가?"를 묻는다.

발코니에서 바라보기

Q1 기술적인 전문성보다 독립적인 판단에 근거해서 행동할 경우, 조직에서 어느 정도로 가치를 인정받는다고 생각하는가?

현장에서 적용하기

Q1 사람은 불확실한 것을 싫어하고, 분명하고 예측 가능하며 확실한 것에 끌린다. 그래서 어댑티브 챌린지를 성급하게 해결하려는 압박감 때문에 진단이 끝나기도 전에 결론을 내려고 서두른다. 예를 들어 빠르게 행동하지 않는 것을 불평하거나 진단의 과정 없이 해결책에만 집중하는 것, 과업 회피 기제를 보이는 것(책임 회피, 관심을 다른 데로 돌리는 것) 등 성급하게 문제를 해결하려는 신호가 있는지 관찰하면서 불확실성을 견디는 인내심을 키우도록 해야 한다.

다음 회의에서 이런 신호가 있는지 살펴보라. 만약 신호가 있다면 "오늘 결정하지 않으면 어떤 나쁜 일이 일어나

겠는가?" "하루(한 주 또는 한 달)를 더 기다린다면 어떤 것을 알 수 있는가?" 등의 질문을 해보라.

리더십 역량을 개발하라

리더십 역량 개발은 직속 상사의 임무다. 트레이닝이나 코칭, 인사팀이나 외부 기관의 지원도 중요하지만, 매일의 업무 속에서 직속 상사가 조직원의 리더십 잠재력을 양질로 관리하는 것을 대체할 수 없다. 장기적인 관점에서 조직의 변화 역량을 위해 리더십 양성 과정leadership pipeline을 구축하는 것도 중요하다. 양질의 리더십 후보가 충분하지 않다는 것은 종종 조직의 성장을 가로막는 걸림돌이 되기도 한다. 사람들은 업무를 통해 리더십을 배운다. 조직 구성원 개개인의 리더십 개발에 헌신하는 상사들은 조직 구성원들에게 그들의 발전 가능성을 분명히 이해하도록 하고, 그들이 매주 어떻게 발전하고 있는지 검토하며, 더욱 발전할 수 있도록 계획을 세우는 것을 돕는다.

리더십 개발을 위한 직속 상사의 책임을 강화하는 한 가지 방법은 후임 계획의 규칙을 세우는 것이다. 좋은 후임 계획을 세운 상사는 자신을 이을 리더십 후보자를 가까이에서 찾고 적극적으로 그들의 재능을 길러줄 것이다.

발코니에서 바라보기

Q1 당신에게는 후임에 대한 계획이 있는가?

Q2 당신과 당신의 상사는 조직 안에서 당신의 발전 가능성에 대해 분명하고 공유된 생각을 하고 있는가? 당신의 발전 가능성을 극대화할 분명한 계획이 있는가?

성찰과 지속적인 학습을 구조화하라

조직이나 부서에서 성찰과 지속적인 학습을 구조화하는 데 도움이 되는 몇 가지 방법이 있다.

성찰을 위해 어려운 질문을 하라

변화 적응적 조직 문화를 만들기 위해 아래와 같은 질문을 정기적으로 던져보라.

- 외부 환경은 어떻게 변화하고 있는가(정부 규제, 경쟁사 활동, 고객 우선순위 등)?
- 이런 외부 환경 변화에 영향을 받는 우리 조직의 과제는 무엇인가?
- 조직의 현재 모습과 지향하는 모습 간의 차이점은 무엇인가(예를 들어 수익성, 지속 가능성 측면 또는 업무팀의 다양성의 측면에서)?
- 조직이 성공을 이루었다는 것을 어떻게 알 수 있을까?
- 어떤 도전이 다가오고 있는가?

위의 질문에 답하기는 쉽지 않다. 그러나 급변하는 도전적 환경 속에서 당신의 조직이 번성하기를 원한다면 이 질문은 필수적이다. 이 질문을 조직 전반에서 업무 일부로 삼고 논의할 때(이사회에서, 직원회의에서, 성과를 평가할 때 혹은 그 어디에서든), 조직 구성원, 고객 및 다른 이해관계자가 더욱 헌신하게 하고 혁신을 자극하면서 조직의 장기적인 성공을 보장하는 역량을 강화할 수 있다. 그렇게 할 때, 당신의 조직은 이 질문을 무시한 조직보다 훨씬 오랫동안 번성할 수 있을 것이다. 질문을 통해 조직 구성원의 역량이 강화될 뿐 아니라, 까다로운 도전이 다가와도 그것을 인식하고 해결해나갈 수 있기 때문이다.

많은 조직이 성찰과 지속적인 학습을 구조화하는 데에 어려움을 겪는다. 행동 지향적이고 업무 중심적이며 결과 중심적으로 성공해온 많은 사람에게 성찰은 시간 낭비처럼 여겨질 수 있다. '할 것은 많은데 할 시간이 없다' 고 생각할 것이다. 그러나 우리의 경험에 비춰볼 때, 시간을 내서 점검하고, 최근 경험에서 학습한 것을 짚어보고, 이런 학습을 조직 전체에 공유하는 것은 급변하는 환경에서 변화 적응 역량을 갖추기 위해 매우 중요하다.

위험을 감수하고 실험은 존중하라

성찰과 지속적인 학습을 강화하는 또 다른 방법은 단지 실험에 그치는 것뿐 아니라 실험에서 학습한 것을 보상하는 것이다. 특히 실패한 실험에서 학습한 것을 말이다. 다방면으로 충분히 실험하면서 훌륭하고 새로운 아이디어를 낼 가능성을 높여라. 예를 들어, 잭 웰치는 GE의 최고 경영자로서 임기 초기에 GE캐피털이 회사 수익의 동력이 될 것으로 생각하지 못했다. GE캐피털은 그가 최고 경영자로 재직하는 동안 진행된 새로운 서비스 및 경영 과정에 대한 여러 실험 중 하나였다.

생존하고 성장하기 위해 경제 및 사회, 조직은 수많은 위험 감수자risk taker에게 의존한다. 예를 들어, 발명을 위해 평생 모은 돈을 투자하는 기업가, 든든한 재정이 없이도 사회문제 해결을 위해 비영리 조직을 만드는 사람들, 대안 교육을 고안하는 학부모와 교사, 새로운 종자와 농업 기술을 실험하는 농업인, 심각한 사회적 불균형에 주의를 끌고자 행동하는 활동가들 말이다.

작은 위험을 여럿 감당하는 것은 큰 위험을 적게 감당하는 것보다 덜 위험하다. 빠른 학습이 가능한 작은 실험을 통해 다양한 범위의 위험을 감수하도록 장려하는 것은 다소 안전한 전략이다. 하지만 많은 사람은 위험 감수를 달가워하지 않는다. 말 그대로 위험은 위험하고 종종 실패하며, 실패는 조직이나 정치에서 거의 환영을 받지 못한다. 다음의 사례를 살펴보자.

위험 회피 : : 소매업 사례 the case of the risk-averse retailer

글로벌 소매 회사의 경영진과 매장 관리자들은 업계 및 각 시장에서 최고가 되기를 꿈꾸고 있었다. 동시에 그들은 분기별 매출 목표를 달성해야 한다는 압박을 받고 있었다. 한 번은 크리스마스 시즌 대목을 앞두고 매장 관리자들이 매출을 위해서 기존에 하던 방식대로 시즌을 준비할 것인지 아니면 조금 더 적극적인 고객 서비스와 즐거움을 제공하는 새로운 시도로 변화를 가져올 것인지 딜레마에 빠졌다. 그들은 새로운 실험을 감행함으로써 앞으로 성장을 위해 어떤 것이 필요한지 알 수 있을 거라고 기대했다.

한편, 단기 매출 목표를 달성하지 못하면 그들의 일자리가 위태로워질 수 있다는 것도 알았다. 물론 본사에서는 두 가지 모두를 요구했다. "새로운 시도를 해보세요. 그러나 매출이 떨어져서는 안 됩니다." 예상대로 매장 관리자 대부분은 안전한 옵션을 선택했다. 기존 방식대로 시즌을 보낼 경우, 경쟁사를 따라잡을 수 없다는 것을 알았지만 결국 그들은 새로운 것을 시도하지 않았다.

사람들에게 올바른 신호를 보내라

위험 감수를 현명하게 바라보는 한 가지 방법은, 어떤 결과가 나오든 혹은 아무런 결과를 얻지 못한다 해도 사람들은 기꺼이 무언가를 학습하고 위험 감수를 통해 지혜를 얻게 된다는 관점이다. 계속되는 실험을 통해 우리는 정보를 쌓고 더 똑똑해진다. 당신의 부하직원에게 위험을 감수해도 괜찮다는 것을 알리기 위해 다음의 방법을 시도해보라.

- 부하직원에게 조직의 사명을 뒷받침하는 새로운 업무 방식으로 할 수 있는 작은 실험 몇 가지를 생각해보도록 요청하라.
- 새로운 지식을 얻을 실험을 시작할 때, 실험하는 사람들의 기존 업무 중 몇 가지를 제외해주고, 시간과 자원을 실험에 집중하도록 하라.
- 사람들이 실험과 씨름할 때, 성공과 실패를 통해 학습하는 것이 얼마나 어려운지 인식하라. 그리고 새로운 학습이 가능하도록 자원을 제공하라.
- 정기적인 성과 측정 작업을 할 때 위험(저비용으로 고품질의 학습을 할 수 있는)을 현명하게 감수하는 직원의 역량을 평가하라. 현명하게 위험을 감수할 수 있도록 목표를 높이고 조직원이 해볼 만한 구체적인 실험을 장려하라.

- 당신 스스로 위험을 감수하라. 사람들에게 당신의 성공뿐 아니라 실패도 공유하라.

현명한 위험 감수에 합당한 보상을 하라

당신은 위험 감수를 어떻게 보상하고 있는가? 예측 가능한 결과를 내는 행동보다는 실험에 얼마나 헌신했는지, 작은 실험을 얼마나 많이 했는지, 이런 노력과 위험 진단, 실수로부터의 학습 등이 보상 기준이 되어야 한다. 그렇지 않으면 성공한 실험만 보상받게 되고, 사람들은 더는 위험을 감수하지 않을 것이다.

이러한 보상에는 용기와 신중한 사고가 필요하다. 실험에는 실패했지만, 그 경험에서 가치 있는 학습을 하고 지식을 공유하는 사람에게 연봉을 올려주고 그를 승진시킬 것인가? 안전하게 행동하면서 목표를 달성한 사람(예를 들어, 분기별 매출 목표를 달성한 사람)보다 이런 사람들에게 더 보상할 것인가? 현명하게 위험을 감수한 행동을 보상하지 않는다면 용기와 창의력을 가치 있게 여기는 조직에 그들을 빼앗기게 될 것이다. 실제로 경쟁사들은 이런 사람들을 찾고 있다.

앞으로 나아가기 위해서는 거북이처럼 목을 빼야 한다. 우리가 아는 한 회사는 '거북이 포상turtle reward'이라는 것을 만들어 비록 실패했지만, 조직을 위해 가장 많은 학습을 만들어낸 시도에 매년 보상하고 있다.

행동을 장려하라

위험한 실험을 심사숙고하는 사람이라면 시간이 오래 걸리더라도 실험을 자세히 계획해서 위험을 낮추고자 할 것이다. 하지만 아무리 잘 계획된 실험이라도 실험은 복잡한 세계와 연결되어 있기에 그 결과는 종종 예측할 수 없다. 결국, 행동만이 전진을 위한 유일한 방법이다. 무언가를 발견하기 위해서는 실험을 해야 한다. 너무 많은 분석으로 마비되기보다는 행동을 통해 학습하고 앞으로 나가는 것이 더욱 나은 선택일 때가 많다. 이 행동은 적은 수의 큰 실험보다는 손실이 적은 여러 작은 실험을 진행하면서 이뤄져야 한다.

동시에 여러 가지 실험을 진행하라

위험 감수로부터 얻는 학습을 극대화하기 위해서는 동시에 여러 가지 실험을 진행하라. 예를 들어, 새로운 경쟁사를 이기는데 도움이 될만한 마케팅 전략이 있다고 가정해보자. 한 가지 전략만 실험하는 대신 여러 가지 마케팅 전략을 다른 장단점을 가진 여러 지역에서 다른 대상을 목표로 동시에 시도해보라. 동시에 여러 전략을 실험하면 한 번에 한 가지를 실험하는 것보다 더 많은 자료를 얻을 수 있다. 더 중요하게는 당신이 계속되는 변화에 적극적으로 대응하고, 오늘의 계획은 단지 오늘을 위한 최선의 추측이라는 메시지를 전달하는 데에도 도움을 준다.

발코니에서 바라보기

Q1 부서에 3년 이상 된 사람들을 생각해보라. 누가 떠났는지도 생각해보라. 위험을 감수하는 사람이 더 많이 남았는가 아니면 그들은 이미 다른 곳에서 일하고 있는가? 이것은 현명한 위험 감수를 장려하는 조직 문화에 무엇을 의미하는가? 당신은 위험을 감수하기 때문에 남아 있는가 아니면 위험을 감수하지 않았기 때문에 남아 있는가?

용어 해설

갈등 조율하기 orchestrating the conflict
서로 다른 이해관계자가 생산적으로 일하도록 과정을 기획하고 이끄는 것으로 서로의 차이를 없애는 것과는 다르다.

개입 intervention
변화적 과제 해결을 위해 사람들을 움직이는 일련의 행동들 또는 특정 행동을 뜻한다. 의도적으로 아무 행동을 하지 않는 행위도 개입으로 간주한다.

과업 돌려주기 giving the work back
다른 사람들의 문제를 해결하라는 압력에 대응하여 권위자가 취하는 행동으로, 주요 이해관계자들이 변화 적응적 과업에서 그들 몫의 일을 하도록 한다.

과업 회피 work avoidance
조직 내 나타나는 의식적 혹은 무의식적 행동 유형으로, 변화적 도전을 해결하고 나아가는 것은 외면한 채, 사회적 안정 상태만을 회복하기 위해 관심을 분산시키거나 책임을 다른 데로 돌리는 행위를 말한다.

관찰 observation
객관적인 관점을 유지하면서 가능한 많은 정보원을 통해 관련 자료들을 모으는 것이다.

관행 default
일에 대한 일상적이고 습관적 반응으로 되풀이해서 일어난다.

권한 authority
조직에서 업무 수행에 대한 대가로 위임된 공식적 또는 비공식적 권력이다. 권한을 가진 사람들은 다음과 같은 기본적인 업무 또는 사회적 기능을 수행한다. ① 방향 설정 ② 보호 ③ 질서 유지

권한의 범위 scope of authority
타인에게서 권한을 위임받은 사람이 제한된 권력을 가지고 할 수 있는 일련의 업무들을 말한다.

기술적 문제 technical problem
일반적으로 이미 알려진 방법과 절차들을 적용하여 진단하고 단기간에 해결할 수 있는 문제를 말한다. 기술적 문제들은 권위 있는 전문 지식이나 통상적인 해결 과정을 적용하여 해결할 수 있다.

마음 below the neck
인간의 비지성적 능력으로 정서적, 영적, 본능적, 반사적 운동 능력 등을 포함한다.

목적 purpose
조직 및 정치 영역의 활동들에 의미 있는 지향점을 제공하는 중요한 방향을 일컫는다.

무도회장 dance floor
행동이 일어나는 곳으로 마찰, 잡음, 긴장 및 조직적 활동이 일어나는 곳이다. 궁극적으로 문제가 해결되어야 하는 곳이다.

문제가 무르익음 ripeness of an issue
이해관계자들 사이에서 문제의 긴박성이 일반화되면서 문제를 해결할 이해관계자들이 준비된 상태를 말한다.

믿을 만한 사람 confidant
상대방이 가진 관점 및 이슈보다는 그 사람의 성공과 행복을 위해 함께하는 사람을 말한다.

반대파 opposition
당신의 의견이 받아들여질 경우 위협을 느끼거나 손실을 경험하게 될 그룹 및 분파를 말한다.

발코니에서 바라보기
getting on the balcony
거리를 두고 바라보는 것을 말한다. 문제가 소용돌이치는 무도회장에서 벗어나는 정신적 행동으로 자기 자신과 전반적인 시스템을 관찰하고 관점을 얻기 위한 것이다. 무도회장에서는 보이지 않는 유형들을 볼 수 있다.

방 안의 코끼리 이야기하기
naming the elephant in the room
변화적 과제 해결에 있어 중요한 이슈임에도 불구하고 안정 상태를 유지하고자 무시되어온 문제를 거론한다.

방 안의 코끼리 elephant in the room
조직 혹은 공동체에 존재하는 문제로, 모두가 알고 있지만, 공개적으로 논의하지 않는 어려운 문제를 말한다.

변화 적응 역량 adaptive capacity
변화에 대한 압박이 높아지고 그로 인한 불안정한 상태가 지속되고 있을 때, 문제를 정의하고 해결하는 데 참여하는 조직원의 회복 탄력성과 조직의 역량을 말한다.

변화 적응 adaptation
변화에 성공적으로 적응하게 되면 생물 유기체는 새롭고 도전적인 환경에서도 번성할 수 있다. 변화 적응 과정은 보수적이면서 진보적이라 할 수 있는데, 이는 과거의 전통, 정체성, 역사로부터 최선의 것을 취하여 미래로 나아가기 때문이다

변화 적응적 과업 adaptive work
지속적인 조직의 불안정 상태에서 조직원이 보존하거나 처분해야 할 문화적 유전자는 무엇이고, 새롭게 개발하거나 발견해야 하는 새로운 유전자는 무엇인지 확인하여 조직이 새롭게 번성하도록 하는 것이다. 즉, 조직원들이 성공적으로 변화에 적응해가는 학습 과정이다.

변화 적응적 문화 adaptive culture
변화 적응적 문화는 적어도 다섯 가지 행동을 포함한다. ① 방 안의 코끼리를 거론한다. ② 조직의 미래에 대한 책임을 공유한다. ③ 독립적 판단을 가치 있게 여긴다. ④ 리더십 역량을 개발한다. ⑤ 성찰과 지속적 학습을 구조화한다.

분파 faction
조직 내 나뉘어 있는 그룹으로① 관습, 권력관계, 충성심 및 이해관계에 의해 같은 관점을 가지고, ② 상황을 분석하는 자신들만의 방식과 자신들에게 유리하게 이해관계, 문제, 해결책을 정의하는 내적 논리 체계를 가지고 있다.

불안정 상태 disequilibrium
변화적 과제로 인한 긴박함, 갈등, 불협화음, 긴장의 정도가 증가하면서 조직 안정성의 부재 상태를 일컫는다.

비공식적 권한 informal authority
어떤 역할을 기대하며 암묵적으로 위임한 권력을 뜻한다. 예의범절과 같은 문화적 규범을 나타내거나 특정 사회적 움직임에 대한 열망을 대표하도록 도덕적 권위를 부여하는 방식으로 사용되기도 한다.

사회 시스템 social system
상호 의존적이기 때문에 서로 영향을 주고받는 역학과 특징이 있고, 공통의 도전을 가지고 있는 집단을 말한다소그룹, 조직, 조직들의 네트워크, 국가 또는 세계.

생산적 불안정 구역
productive zone of disequilibrium
적정한 스트레스가 존재하는 범위로 이 범위 내에서는 조직의 긴박성으로 인해 사람들이 변화 적응적 과업에 참여하게 된다. 스트레스가 너무 적으면 현실에 안주하려는 경향을 보이고, 너무 높으면 압도되어 공황 상태에 빠질 수 있으며, 조직 내 희생양을 만들거나 묵살 등의 심각한 과업 회피 유형을 보일 수도 있다.

성급하게 행동하기 leap to action
습관화된 일련의 반응으로 불안정한 상태에 성급하게 대응하는 관행적 행동이다.

안아주는 환경 holding environment

변화 적응적 과업이 유발하는 갈등적 상황에서도 구성원들이 서로를 포용하도록 도와주는 관계 및 사회 시스템의 속성들로, 친밀감과 애정, 상호 합의한 규칙, 절차 및 규범, 공동의 목적 및 가치, 전통, 언어, 의식, 변화 적응적 과업에 대한 이해, 권위에 대한 신뢰 등이 있다. 안아주는 환경은 조직의 정체성을 부여하고 복잡한 현실과 씨름할 때 발생하는 갈등, 혼돈, 혼란을 방지한다.

압력솥 pressure cooker

변화 적응 과정에서 생기는 불안정 상태를 충분히 견디도록 안아주는 환경을 말한다.

어댑티브 리더십 adaptive leadership

변화 적응적 과업을 위해 사람들을 행동하게 하는 활동이다.

어댑티브 챌린지 adaptive challenge

번성을 위해 사람들이 추구하는 가치와 그 가치를 실현할 역량 부족으로 직면한 현실 사이의 격차를 말한다.

정치적 관계를 이해하고 행동하라 act politically

변화를 이끌기 위해서는 이해관계자들의 충성심과 가치를 이해하고 이용하여야 한다. 누구도 혼자 개인적으로 움직이지 않고 공식적 혹은 비공식적인 일련의 충성심 및 기대, 압박 등에 따라 행동한다.

역할 role

사회 시스템에 존재하는 일종의 기대로, 개인 및 집단이 마땅히 해야 한다고 여겨지는 일들을 정의한다.

온도 조절하기 regulating the heat

조직 내의 긴장을 높이거나 낮추면서 생산적 불안정 구역 내에서 머무르는 것이다.

이성과 감정을 모두 사로잡기 engaging above and below the neck

이끌고 있는 사람들과 모든 차원에서 연결되는 것이다. 또한 자신의 모든 인격과 속성을 리더십 발휘에 헌신하는 것이기도 하다. 이성above the neck은 지적인 영역으로 논리와 사실을 다룬다. 마음below the neck은 정서적 영역으로 가치, 신념, 습관적 행동 및 반응 유형을 다룬다.

진전 progress

급격하게 변하는 환경에서 사회적 시스템들이 성공적으로 번성하도록 새로운 역량을 개발하는 것이다. 집단, 공동체, 조직, 국가 및 세계의 상태가 개선되도록 이끄는 사회적, 정치적 학습 과정을 의미한다.

집중 attention

리더십의 핵심적인 자원이다. 계속되는 불안정한 시기 동안 변화적 과제에서 진전을 이루기 위해서 리더는 까다로운 질문들을 통해 사람들의 참여를 유지할 수 있어야 한다.

파트너 partners

협력자가 되어주는 개인이나 그룹으로 믿을 만한 사람을 포함한다. '협력자ally' '믿을 만한 사람confidant'을 참조하고 둘 사이의 차이점을 확인하라.

피해자 casualty

변화를 이끄는 과정에서 생기는 부산물로, 잃게 되는 사람, 역량 혹은 역할을 일컫는다.

해석 interpretation

상황을 이해하는 데 도움이 되도록 행동 유형들을 파악하는 것을 말한다. 해석이란 이해하기 쉬운 사고방식과 이야기 구조를 적용하여 가공되지 않은 상태의 정보들을 설명해가는 과정이다. 많은 상황에서 다양한 해석이 가능하다.

협력자 ally

공동체 내에서 특정 이슈에 대해 같은 입장을 가진 조직원을 일컫는다.

Adaptive Leadership

어댑티브 리더십

3부 시스템의 온도 - 시스템을 움직이라

초판 1쇄 발행 2017.07.15
개정판 1쇄 발행 2022.08.25

지은이 로널드 A. 하이페츠, 알렉산더 그래쇼, 마티 린스키
옮긴이 진저티프로젝트 출판팀
번역검수 김남원, 전혜영
감수 강진향, 서현선, 안지혜
교정교열 고가은, 김영재, 김윤수, 최예은
디자인 정선은
마케팅 홍승현
인쇄 북토리 | 이광우

발행인 김고운, 홍주은
발행처 (주)진저티프로젝트
주소 서울 마포구 양화로 12길 8-5 세르보빌딩 2층
홈페이지 www.gingertproject.co.kr
이메일 info@gingertproject.co.kr
인스타그램 @gingertproject

ISBN 979-11-976714-7-0 (04320)
ISBN 979-11-976714-4-9 (세트)